Ontdek de Galaxy Note & Tab

Ontdek de Galaxy Note & Tab

Henny Temmink

VAN
DUUREN
INFORMATICA

Culemborg

ISBN: 978-90-5940-642-1
NUR: 987
Trefw.: tablet, computers, internet, Android (besturingsprogramma)

Opmaak: Van Duuren Media B.V., Culemborg
Druk: Indice S.L., Barcelona, Spanje

Eerste druk: augustus 2013

Dit boek is gezet met Corel VENTURA™ 10.

Dit boek is gedrukt op een papiersoort die niet met chloorhoudende chemicaliën is gebleekt. Hierdoor is de productie van dit boek minder belastend voor het milieu.

Nederlands
groep uitgevers voor vak en wetenschap uitgeversverbond

Registreer uw boek!

Van Duuren Media biedt haar lezers een unieke service. Op de vernieuwde website **www.vanduurenmedia.nl** kunt u dit boek kosteloos registreren. Na registratie:

- ontvangt u regelmatig onze nieuwsbrief/nieuwsflits met relevante informatie op uw interessegebied, informatie over downloads, kortingsacties, (auteurs)presentaties, nieuwe uitgaven en meer;

- krijgt u een maand lang gratis toegang tot de elektronische versie van dit boek op Yindo;

- maakt u vier keer per jaar kans op een gratis boekenpakket.

Om te registreren:

1. Ga naar **www.vanduurenmedia.nl**.

2. Klik op **Registreer!**

Registratiecode van deze titel: **NDK-7746-3**

Sociale media

Van Duuren Media biedt haar lezers aanvullende service en fora via verschillende socialemediakanalen. U vindt ons op Twitter, Facebook, LinkedIn en Diigo:

 Op Twitter: volg ons via @VanDuurenMedia

 Op Facebook: www.facebook.com/vanduurenmedia

 Op LinkedIn: www.linkedin.com/company/van-duuren-media

 Op Diigo: groups.diigo.com/group/van-duuren-media

 Ontdek de voordelen van digitaal lezen op Yindo

Op Yindo vindt u digitale boeken van verschillende uitgeverijen, waaronder Van Duuren Media; deze zijn tegen betaling in te zien. Enkele voordelen van Yindo:

- u kunt uw boeken permanent of tijdelijk aanschaffen

- met de zoekfunctie doorzoekt u een boek op onderwerp of trefwoord

- het aanbod omvat leverbare en niet meer leverbare boeken

Kijk voor meer informatie op www.vanduurenmedia.nl/yindo

Voorwoord

De Android-tablets van Samsung zijn populair. Android is het besturingssysteem, net zoals Windows dat is voor de meeste pc's. Android wordt gemaakt door Google en is gratis beschikbaar voor fabrikanten die telefoons of tablets willen maken. De fabrikant moet vervolgens Android aanpassen zodat het geschikt is voor de gebruikte hardware. De meeste fabrikanten voegen nog wat extra toe aan Android, zoals een eigen vormgeving, extra apps en diensten. En dat is precies wat Samsung doet. De Android-tablets zijn voorzien van een extra laag om het besturingssysteem zodat alle Samsung-apparaten dezelfde look-and-feel hebben. Deze extra laag heet TouchWiz. Verder zet Samsung een aantal extra apps op de tablet en kunt u apps en meer aanschaffen in Samsungs online stores.

Vooral de tablets in de reeks Galaxy Tab en Galaxy Note zijn populair. U hebt de keuze uit verschillende schermmaten – 7, 8 of 10,1 inch – en Wi-Fi only of een uitvoering met mobiel datanetwerk – ook wel aangeduid als Cellular, 3G of 4G. Het verschil tussen de Note en de Tab is niet alleen de S Pen, maar zit vooral onder de motorkap en dat merkt u dan weer aan de prestaties. De Galaxy Tab is ondertussen bezig met de derde generatie: de Tab 3 ligt sinds juli 2013 in de winkel en sinds kort is ook de Note 8.0 verkrijgbaar. Worden de Note 10.1 en de Tab 2 nog geleverd met Android 4.0, de Tab 3 verlaat de fabriek met Android 4.2. Wil dat zeggen dat de Galaxy Tab 2 en de Note 10.1 nu vreselijk achterhaald zijn? Welnee, Samsung heeft voor deze tablets ook een update uitgebracht. Dat gebeurde tijdens het schrijven van het boek, dus de kans is groot dat u na het configureren van uw tablet meteen de update ontvangt. In het boek staat dan ook beschreven hoe u deze update installeert op uw tablet.

Voor het boek is gebruik gemaakt van een Galaxy Tab 2 10.1, een Galaxy Note 10.1 (3G) en een Galaxy Note 8.0. De schermafbeeldingen in het boek zijn dan ook gemaakt met deze drie modellen.

Ik wens u veel plezier tijdens uw ontdekkingstocht van uw Samsung Galaxy-tablet.

Henny Temmink

Bonushoofdstuk

Surf naar **www.vanduurenmedia.nl/support/downloads** om een extra hoofd-stuk bij dit boek te downloaden: *Tools en tips*.

Inhoudsopgave

Kennismaken met uw tablet

Voordat u aan de slag gaat met uw nieuwe Samsung Galaxy Tab of Galaxy Note, is het handig om even te ontdekken waar de knoppen zitten, wat de verschillende pictogrammen op het scherm betekenen en hoe u uw tablet bedient.

Android

De Samsung Galaxy Tab en de Galaxy Note zijn Android-tablets, dat wil zeggen dat ze werken met het besturingssysteem Android van Google. Android is geschikt voor tablets en telefoons en Google stelt het gratis ter beschikking aan de verschillende fabrikanten. De fabrikant zorgt voor de aanpassingen zodat de hardware van de tablet of telefoon goed werkt met Android. Meestal voegt de fabrikant dan ook nog extraatjes toe aan het besturingssysteem. Zo heeft Samsung TouchWiz toegevoegd aan Android, dit geeft de tablets een herkenbaar eigen uiterlijk en extra apps. Telkens als Google een nieuwe versie uitbrengt van Android, moet de fabrikant deze versie eerst geschikt maken voor de verschillende modellen. Daarna ontvangen geschikte apparaten een update zodat zij ook met de nieuwe versie van Android kunnen werken.

Links het algemene Android-logo, daarnaast Ice Cream Sandwich en rechts Jelly Bean.

De Galaxy Tab en de Galaxy Note werken met Android 4. Op het moment van schrijven is dat in Nederland Android 4.1.2. Google geeft de verschillende versies van Android namen van bekende Amerikaanse toetjes. Versie 4.0 wordt *Ice Cream Sandwich* of *ICS* genoemd, terwijl Android versie 4.1 en 4.2 door het leven gaan als *Jelly Bean*. De kans is groot dat de Galaxy Tab zoals die in de doos zit nog draait op Android 4.0, maar dat u de update ontvangt zodra u de tablet hebt geconfigureerd. U ontvangt de update vanzelf en u ziet een melding hiervan. Tik op de melding en installeer de software-update. Samsung voert nieuwe versies van Android gefaseerd in, waarbij niet alle gebruikers en alle landen de update op hetzelfde moment ontvangen. Het is de bedoeling dat alle Galaxy-tablets eind september 2013 voorzien zijn van Android 4.2. De nieuwe Galaxy Tab 3 die in juli in de winkels verscheen, is al voorzien van Android 4.2.

Er is een nieuwe versie van Android beschikbaar. Tik op de knop Installeren om de software bij te werken. En dan kunt u rustig koffie gaan drinken, want dit duurt wel even.

Tablet

De Galaxy Tab en de Galaxy Note zijn populaire tablets van Samsung. Deze tablets lijken uiterlijk erg op elkaar en ze zijn in verschillende uitvoeringen verkrijgbaar. Zo zijn er modellen met een scherm van zeven, acht of tien inch. Daarnaast is er van beide een versie verkrijgbaar die geschikt is voor het mobiele internet (3G of 4G) en telefonie, hoewel, een tablet met een tien inch scherm is nu niet bepaald een handige telefoon. Hebt u zo'n model, dan hebt u ook een simkaart nodig (prepaid of abonnement).

De Samsung Galaxy Tab 2 10.1 P5110 (Bron: Samsung).

De Samsung Galaxy Note 10.1 N8000 (Bron: Samsung).

Zoals gezegd, de Galaxy Note en de Galaxy Tab lijken erg op elkaar, hoewel bij de Tab de pen en het infraroodlampje ontbreken. Ook de apps op de tablet zijn grotendeels gelijk en worden niet afzonderlijk behandeld. Zijn er belangrijke verschillen tussen de verschillende uitvoeringen, dan wordt dat duidelijk aangegeven. De schermafbeeldingen in dit boek zijn gemaakt met de Galaxy Tab 2 10.1, de Galaxy Note 10.1 (3G) en de Galaxy Note 8.0. Tijd voor een eerste kennismaking met uw tablet.

De Galaxy Note,
de nummers
verwijzen naar de
verschillende
onderdelen.

1. **Aan-uitknop**   Hiermee zet u de tablet aan of uit of vergrendelt u de tablet. Is
    de tablet uitgeschakeld, dan houdt u deze knop enkele seconden ingedrukt om
    de tablet in te schakelen. Is de tablet in de slaapstand (vergrendeld), dan drukt u
    kort op deze knop. Wilt u de tablet helemaal uitschakelen, dan houdt u de knop
    enkele seconden ingedrukt en kies dan de gewenste optie in het menu. Houd
    de knop acht tot tien seconden ingedrukt als u de tablet wilt resetten, bijvoor-
    beeld als de tablet vastloopt.

2. **Volumeknop**   Dit is een lange knop, druk op de ene kant om het volume te
    verhogen en op de andere kant om het volume te verlagen.

3. **MicroSD-kaartsleuf**   Hierin past een microSD-geheugenkaart, daarmee
    kunt u de opslagcapaciteit van uw tablet vergroten.

4. **Infraroodlampje**   Alleen aanwezig op de Galaxy Note en Galaxy Tab 3.
    Hiermee kunt u de tablet als afstandsbediening gebruiken.

5. Headsetaansluiting   Een aansluiting voor een headset (combinatie koptele-foon en microfoon) of een koptelefoon. Hebt u een 3G- of 4G-model, dan zit een bijpassende headset in de doos.

6. Simkaartsleuf   Alleen aanwezig op de 3G- en 4G-modellen. Deze tablets zijn geschikt voor het mobiele datanetwerk. Hiervoor hebt u een simkaart nodig, hetzij prepaid of met een abonnement.

7. Omgevingslichtsensor   Meet het omgevingslicht en past de helderheid van het scherm daarop aan.

8. Camera voorzijde   Bedoeld voor videogesprekken en zelfportretten. Deze camera heeft een lagere resolutie dan de camera aan de achterzijde.

9. Luidsprekers   Geven het geluid weer van uw tablet, tenzij u een koptele-foon hebt aangesloten.

10. Multifunctionele aansluiting   Met de meegeleverde kabel sluit u uw tablet aan op een computer of de netvoeding.

11. Microfoon   De microfoon gebruikt u bijvoorbeeld voor gesproken zoek-opdrachten of videogesprekken via Google Hangouts.

12. Interne antenne   De locatie van de antenne voor GPS en – bij een 3G- of 4G-model – GSM. Houd bij voorkeur de tablet zo vast dat u de antenne niet afschermt met uw hand.

13. Camera achterzijde   Hiermee maakt u foto's en video-opnamen. Deze camera heeft een resolutie van drie of vijf megapixel, afhankelijk van het model.

14. Flitser   Alleen aanwezig op de Galaxy Note, de Galaxy Tab heeft geen flitser.

15. S Pen-sleuf met S Pen   Alleen aanwezig op de Galaxy Note. Met de S Pen bedient u de tablet, maakt u notities en tekeningen.

De nieuwe Galaxy Note 8.0 en Galaxy Tab 3 hebben een iets ander uiterlijk en ze zijn voorzien van drie knoppen onder het scherm.

16. Knop Menu   Dit is een schermknop, net als de knop **Terug**. Als u deze knop aanraakt, licht hij op. Tik op deze knop en u opent het menu met beschikbare opties. Op het startscherm kunt u Google Zoeken starten als u uw vinger op deze knop houdt.

17. Knop Start   Hiermee keert u terug naar het startscherm. Houd deze knop ingedrukt als u de lijst met eerder geopende apps wilt openen. Druk tweemaal op deze knop om de stembediening te openen met S Voice.

18. Knop Terug   Met deze knop keert u terug naar het vorige scherm. Op de Note 8.0 heeft deze knop nog een tweede functie. U schakelt de functie Multi-window in of uit als u uw vinger op deze knop houdt.

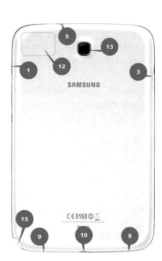

Galaxy Note 8.0,
de nummers
verwijzen naar de
verschillende
onderdelen.

Galaxy Tab 3, de
nummers verwij-
zen naar de
verschillende
onderdelen.

Naast de zichtbare onderdelen van uw tablet is er ook een aantal sensoren inge- **Wat u niet**
bouwd. De lichtsensor hebt u hiervoor al ontdekt (nummer 7 naast de front- **kunt zien**
camera). Hiermee bepaalt de tablet de hoeveelheid omgevingslicht en past de helderheid van het scherm daarop aan.

■ **Versnellingsmeter**   Deze sensor bepaalt in welke stand u de tablet vasthoudt en of de tablet wordt bewogen. Deze informatie gebruikt het besturingssysteem bijvoorbeeld om het beeld in de juiste stand weer te geven.

■ **A-gps**   Uw tablet beschikt over *assisted gps* – meestal afgekort tot a-gps –
assisted global positioning system. Hiermee wordt de locatie van de tablet
bepaald. Bij gps vindt de positiebepaling plaats met satellietsignalen, waarvoor
een relatief sterk signaal nodig is. Binnenshuis of omringd door hoge gebouwen
werkt het niet. Met assisted gps gebruikt de ontvanger aanvullende informatie,
zoals de positie van zendmasten voor mobiele telefonie in de buurt en Wi-Fi-
netwerken.

■ **Geomagnetische sensor**   Deze sensor stuurt een digitaal kompas aan. Dit
helpt bij de locatiebepaling en de navigatie.

Scherm

Het belangrijkste onderdeel van uw tablet is natuurlijk het scherm, dat gebruikt u
voor de communicatie met uw tablet. Het beeldscherm van uw tablet heeft een
resolutie van 1024x600 pixels voor een 7-inch tablet, de grotere schermen hebben
een resolutie van 1280x800 pixels. Het beeldscherm is een aanraakscherm, maar
geen traditioneel aanraakscherm dat reageert op druk (resistief aanraakscherm).
Uw Galaxy-tablet heeft een zogenoemd capacitief aanraakscherm, dat reageert op
een elektrische geleider. Een resistief scherm bedient u met een stift, terwijl een
capacitief scherm reageert op een elektrische geleider, zoals uw vinger.

Het scherm van de
Galaxy Tab.

Stift   Als u graag een stift of pen gebruikt met uw tablet, let er dan op dat u er een-tje aanschaft die speciaal bedoeld is voor capacitieve schermen. De Galaxy Note is voorzien van de S Pen, deze pen heeft een speciale punt en een knop voor de bedie-ning van uw tablet. Gebruik nooit een gewone pen of stift op het scherm van uw tablet. Daarmee kunt u het scherm beschadigen.

Het voordeel van een capacitief aanraakscherm is dat het gelijktijdige aanrakingen apart registreert en dat het ook beweging over het scherm waarneemt. Daarom wordt dit ook wel een multitouchscherm genoemd. Het beste instrument om uw tablet te bedienen zijn uw vingers. Het scherm neemt de gelijktijdige aanraking en beweging van verschillende vingers waar en dit maakt een nieuwe manier van wer-ken mogelijk. U tikt, sleept en veegt met een of meer vingers over het scherm om knoppen te bedienen, foto's te openen, in te zoomen of te sluiten, pagina's om te slaan en ga zo maar door.

Apps

Uw tablet is van huis uit al voorzien van een aantal programma's of toepassingen. Een toepassing – *application* in het Engels – wordt meestal kortweg *app* genoemd. In het startscherm ziet u rechtsboven de knop **Apps**. Tikt u daarop, dan opent u het scherm met apps. U ziet daar alle apps die op uw tablet zijn geïnstalleerd. Deze apps zijn klaar voor gebruik.

Het startscherm
met rechtsboven
de knop Apps.

In de online winkel Play Store van Google schaft u eenvoudig extra apps aan. Of gebruik Samsung Apps, de apps die u daar vindt zijn helemaal toegesneden op uw tablet. De volgende apps treft u standaard aan op uw tablet. Is een app niet voor alle modellen beschikbaar, dan staat dat bij de beschrijving. Bij elke app ziet u het bij-behorende pictogram en een korte beschrijving van het programma.

Tik op de knop Apps en u krijgt alle apps op uw tablet te zien.

■ Alarm   Met deze app stelt u de wekker in.

■ Calculator   De rekenmachine van uw tablet.

■ Camera   De app Camera bedient de camera's van uw tablet, u gebruikt de app voor het maken van foto's en video-opnamen.

■ ChatON   Met deze app kunt u chatten met apparaten die een mobiel telefoonnummer hebben. Dit werkt alleen als u en uw gesprekspartner een Samsung-account hebben en zijn aangemeld bij ChatON.

■ Chrome   Chrome is de browser van Google. De browser is uw toegangspoort tot internet. Chrome is niet op alle modellen geïnstalleerd, maar is gratis te downloaden in de Play Store.

■ Contacten   Hier legt u adresgegevens en dergelijke van uw contactpersonen vast. U kunt automatisch synchroniseren met de contacten van uw Google-account, zodat u die contactgegevens niet opnieuw hoeft in te voeren op uw tablet.

■ Downloads   Toont de status van uw downloads en welke bestanden u hebt gedownload.

■ Dropbox   Dit is een online opslagservice waar u foto's, documenten en meer kunt opslaan. Hiervoor moet u zich eerst aanmelden en een account maken bij Dropbox. Bij het account hoort twee gigabyte gratis opslagruimte, maar u kunt meer ruimte verdienen of kopen.

■ E-mail   Hebt u naast uw Google-account ook nog andere e-mailaccounts? Dan voegt u met deze app accounts toe en beheert u uw e-mail.

■ **Foto-editor** Bewerk met deze app de foto's die u met uw tablet hebt gemaakt of andere afbeeldingen. Deze app is alleen op de Galaxy Tab beschikbaar, maar niet op de Tab 3. U kunt deze app voor de Tab 3 en de Note 8.0 downloaden bij Samsung Apps. Op de Note 10.1 gebruikt u daarvoor de app PS Touch.

■ **Galerij** Met Galerij bekijkt u foto's en video's, niet alleen de opnamen die u met de camera's van uw tablet hebt gemaakt, maar ook andere foto's en videofilms op uw tablet. Ook uw foto's in Picasa kunt u met Galerij bekijken.

■ **Game Hub** De online winkel van Samsung waar u spellen kunt aanschaffen. Klikt u op een spel, dan ontdekt u dat dit een onderdeel is van Samsung Apps.

■ **Gesproken zoekopdracht** Spreek uw zoekopdracht of vraag in en Google zoekt naar websites die voldoen aan de zoekopdracht.

■ **Gmail** Gmail staat voor Google mail. Hiermee beheert u de e-mail van uw Google-account, synchronisatie vindt automatisch plaats.

■ **Google** Tik uw vraag of zoekopdracht en Google toont u de resultaten. Of tik linksboven in het beginscherm op Google, daarmee opent u dezelfde app.

■ **Google Instellingen** Hier vindt u de instellingen voor Google+, maps en advertenties bij elkaar.

■ **Google+** Geeft rechtstreeks toegang tot alle mogelijkheden van Google+.

■ **Groep afspelen** Deel wat u op uw scherm ziet met vrienden. Dat kunnen foto's zijn, maar ook presentaties. Uw vrienden zien hetzelfde op hun scherm wat u op uw scherm ziet, zolang iedereen gebruikmaakt van hetzelfde Wi-Fi-netwerk. Deze app werkt alleen met een aantal smartphones en tablets van Samsung, zoals de Galaxy S III, Galaxy Note II, Galaxy Tab en de Galaxy Note.

■ **Hangouts** De app voor chatten en (video)gesprekken van Google. Hiermee communiceert u direct met uw vrienden en kringen van Google+.

■ **Instellingen** Wilt u de instellingen van de tablet aanpassen? Dan is dit de plaats waar u dat doet. U vindt hier onder andere de taalinstellingen, hier voegt u netwerken toe of een nieuw toetsenbord.

■ **Internet** De browser is uw toegangspoort tot internet. U hebt op uw tablet vrijwel dezelfde mogelijkheden als op uw desktopcomputer. Android ondersteunt ook Flash, dus de browser werkt in principe met elke website.

■ **Maps** Bekijk uw locatie op de kaart of op een satellietfoto, stippel een route uit of neem een kijkje op straatniveau met StreetView.

■ **Messenger** Deze app is nu een onderdeel van Hangouts. Opent u Messenger, dan ziet u een melding en daarna opent Hangouts.

Mijn bestanden Met deze app beheert u de bestanden op uw tablet. De app is vergelijkbaar met de Verkenner op een Windows-computer of Finder op een Mac.

MP3-speler De muziekspeler voor MP3-bestanden. Hebt u muziek opgeslagen in een andere bestandsindeling, gebruik dan de app Play Music.

Music Hub Deze app is een online muziekwinkel waar u losse nummers of albums kunt aanschaffen. Van elk nummer kunt u gratis een stukje beluisteren.

Notitie Maak notities met deze app. U kunt niet alleen een notitie typen, maar ook dicteren of met uw vinger op het scherm schrijven. Deze app staat alleen op de Tab, op de Note gebruikt u hiervoor de app S Note.

Paper Artist Maak een tekening of een schilderij van uw foto's met deze app. U hebt verschillende effecten tot uw beschikking.

Play Music Deze toepassing speelt geluidsbestanden af in verschillende bestandsindelingen, dus hiermee geniet u van uw favoriete muziek op uw tablet.

Play Store Hier schaft u nieuwe apps aan. Veel apps zijn gratis, maar wilt u een betaalde app aanschaffen, dan hebt u daarvoor wel een creditcard nodig.

Polaris Office Maak teksten, spreadsheets en presentaties met Polaris Office. U kunt bestanden maken, maar ook bestaande bestanden van uw computer bewerken.

Readers Hub Hier leest u kranten, tijdschriften en boeken. Hierin zijn drie apps opgenomen: Press Reader, Zinio en Kobo. Aan elke app is een online winkel gekoppeld waar u leesmateriaal kunt aanschaffen. De Readers Hub is alleen op de Tab geïnstalleerd.

S Planner In S Planner legt u uw afspraken vast. U kunt de inhoud van deze agenda automatisch synchroniseren met uw Google-account.

S Suggest In deze app stelt Samsung allerlei apps voor. U kunt zoeken in allerlei categorieën. Deze app staat niet op alle modellen.

Samsung Apps De online winkel van Samsung met apps die voor uw tablet zijn geoptimaliseerd.

Samsung GO Het laatste nieuws, informatie over films en muziek, aanbiedingen en meer.

Samsung Link Hiermee kunt u mediabestanden van een apparaat afspelen op een ander apparaat, bijvoorbeeld een Samsung smart-tv. U kunt ook mediabestanden verzenden naar een ander apparaat, zoals een PlayStation. Hebt u verschillende apparaten van Samsung en een Samsung-account, dan kunt u met deze app bestanden afspelen en beheren op andere apparaten. U ziet in één overzicht de recent toegevoegde foto's, muziek en video's. U kunt ook zoeken in alle mediabestanden die op de geregistreerde apparaten zijn opgeslagen en foto's uploaden vanaf een geregistreerd apparaat.

- **Video-editor** Hiermee bewerkt u videoclips en maakt u films. Snijd de clips op maat, voeg effecten, muziek en titels toe en sla het resultaat op. Deze app ontbreekt op de Tab 3 en Note 8.0, maar u kunt deze app wel downloaden bij Samsung Apps.

- **Videospeler** Bekijk films en videopodcasts met deze app.

- **Wereldklok** Deze app toont de tijd op verschillende plaatsen op de wereld. U kunt zelf de klokken instellen die u wilt zien.

- **YouTube** Hiermee bekijkt u videofilmpjes op YouTube.

Op de 3G- en 4G-modellen treft u ook de volgende apps aan:

- **Berichten** Met deze app verstuurt en ontvangt u sms- en mms-berichten. Dit werkt alleen als een geschikte simkaart is geïnstalleerd.

- **Telefoon** Gebruik uw tablet als telefoon met deze app. Dit werkt alleen als een geschikte simkaart is geïnstalleerd.

- **Provider** Een app om de verschillende opties van de simkaart te kunnen gebruiken. De naam en de mogelijkheden zijn afhankelijk van uw provider.

Op de Galaxy Note vindt u ook de volgende apps:

- **Crayon physics** Dit spelletje speelt u met de S Pen. U tekent geschikte objecten op het scherm zodat de bal de weg naar het doel kan afleggen. Deze app ontbreekt op de Note 8.0.

- **Help** De handleiding voor uw Note.

- **PS Touch** Deze app is een mobiele versie van Adobe Photoshop waarmee u foto's kunt bewerken. Deze app ontbreekt op de Note 8.0.

- **S Note** Maak notities met de S Pen, al dan niet met handschriftherkenning en voorzie uw notities van een schets.

- **S Voice** Bedien uw tablet met uw stem, dicteer berichten en meer. Deze app staat ook op de Galaxy Tab 3.

- **Smart Remote** Deze app gebruikt het infraroodlampje en tovert uw tablet om in een universele afstandsbediening.

Afwijkende pictogrammen Er komen regelmatig nieuwe versies van apps beschikbaar, al dan niet voorzien van een nieuw pictogram. En soms verdwijnen apps, zo voegt Google op dit moment veel functionaliteit samen in een app, zodat losse pictogrammen verdwijnen. Zo was Navigatie tot voor kort ook apart als app te starten, nu is deze functie een onderdeel van Maps.

Status en meldingen

Rechtsonder ziet u de tijd, rechts daarvan staan de statuspictogrammen, links van de tijd staan meldingspictogrammen.

■ De statuspictogrammen vertellen u iets over de status van de tablet, namelijk de ladingstoestand van de accu en de netwerkstatus (of er verbinding is met een netwerk en zo ja, welk type netwerk). Naast de tijd, van links naar rechts: slim sluimeren is ingeschakeld, verbonden met een Wi-Fi-netwerk en de lading van de batterij.

■ De meldingspictogrammen verschijnen bij een melding van het systeem of een toepassing, zoals bij een nieuw e-mailbericht of een waarschuwing voor een afspraak.

Jelly Bean In Android 4.2 zijn de statuspictogrammen en meldingen verplaatst naar de bovenkant van het scherm. Links staan de meldingen, rechts de statuspictogrammen. Op de Galaxy Tab 3 en de Galaxy Note 8.0 is dat al het geval.

De pictogrammen links van de tijd horen bij meldingen en deze worden in het meldingenvenster verklaard. De statuspictogrammen rechts van de tijd worden niet verklaard. Vandaar dat u hier de meest voorkomende statuspictogrammen aantreft met hun betekenis.

Statuspictogrammen

■ **Wi-Fi** Verbonden met een Wi-Fi-netwerk. De pijltjes onder het symbool lichten op bij het verzenden en ontvangen van gegevens.

■ **Bluetooth** Dit pictogram ziet u alleen als Bluetooth is ingeschakeld.

■ **Wekker** Hebt u een wekker ingesteld, dan ziet u dit pictogram in de statusbalk.

■ **Vliegtuigstand** Schakelt u het tablet in de vliegtuigstand, dan worden alle draadloze functies (Wi-Fi, telefoon en Bluetooth) uitgeschakeld. U kunt de tablet dan alleen gebruiken voor zaken waarvoor geen netwerk nodig is.

■ **Batterij** Hiermee ziet u hoeveel lading (ongeveer) in de batterij aanwezig is.

■ **Slim sluimeren** Met slim sluimeren voorkomt u dat de tablet in de slaapstand gaat terwijl u naar het scherm kijkt. Dit pictogram ziet u als deze functie is ingeschakeld.

De volgende statuspictogrammen ziet u alleen als uw tablet een simkaartsleuf heeft en u een simkaart hebt geïnstalleerd.

 ■ **Signaalsterkte**   Toont de signaalsterkte van het mobiele netwerk. Hoe meer streepjes, des te sterker het signaal.

 ■ **GPRS**   U hebt een GPRS-verbinding met het mobiele datanetwerk. Dit is de langzaamste vorm van het mobiele datanetwerk.

 ■ **EDGE**   U hebt een EDGE-verbinding met het mobiele datanetwerk. EDGE is sneller dan GPRS, maar langzamer dan UMTS (ook wel bekend als 3G).

 ■ **UMTS**   U hebt een UTMS-verbinding met het mobiele datanetwerk. UTMS is waarschijnlijk beter bekend als 3G (derde generatie). Ondertussen is ook 4G beschikbaar, hoewel niet bij alle providers. U kunt daarvan alleen profiteren als uw tablet daarvoor geschikt is.

 ■ **Roaming**   Wanneer u dit pictogram ziet, hebt u verbinding met het mobiele netwerk van een andere provider. Hieraan zijn meestal extra kosten verbonden.

Wat u verder nodig hebt

Als u uw tablet uitpakt, treft u in de doos wat documentatie, de aansluitkabel en de netvoeding aan. Hebt u het 3G- of 4G-model van de Galaxy Note of Galaxy Tab, dan zit er ook een headset bij. Zo, u hebt uw tablet uitgepakt en u bent klaar voor de start. Of niet? U hebt in elk geval ook nog een Google-account en een internetverbinding nodig. Voor de internetverbinding gebruikt u een draadloos netwerk, dat is een Wi-Fi-netwerk of het mobiele datanetwerk.

■ Wilt u thuis of op kantoor gebruikmaken van het – beveiligde – Wi-Fi-netwerk, dan hebt u het wachtwoord voor het netwerk nodig om verbinding te maken.

■ Is uw tablet geschikt voor het mobiele datanetwerk, dan hebt u daarvoor een simkaartnodig – prepaid of abonnement.

 Opladen   Voordat u uw tablet de eerste keer start, is het verstandig de tablet eerst op te laden. U kunt uw tablet natuurlijk ook tijdens de eerste start op de netvoeding aansluiten.

Google-account   U hebt een Google-account nodig om toegang te krijgen tot een aantal diensten, zoals Gmail, Google Hangouts en andere Google-toepassingen en om toegang te krijgen tot de Google Play Store. Google ontwikkelt namelijk niet alleen Android, maar biedt nog veel meer. Natuurlijk kent u de internetzoekmachine van Google, maar ook de fotodienst Picasa en het videoportal YouTube zijn onderdeel van de Google-familie.

Google is meer dan alleen een zoekmachine.

Een Google-account levert u een gratis e-mailadres op, een agenda, een adresboek voor uw contactpersonen en tal van andere mogelijkheden. Zolang u beschikt over een internetverbinding hebt u toegang tot uw mail en gegevens vanaf een willekeurige computer, smartphone of tablet, ongeacht of u thuis in uw luie stoel zit of aan de andere kant van de wereld.

Hebt u nog geen Google-account, dan is dat snel gemaakt. Aan u de keuze of u dat op uw computer doet of op uw tablet tijdens de eerste start.

Een nieuw Google-account maken.

U kunt heel eenvoudig een account maken. Op uw computer doet u dat zo:

1. Surf naar de website van Google en klik op de knop **Aanmelden**.

2. Klik op de link **Maak een gratis account**.

3. Typ uw gegevens in de vakken **Voornaam** en **Achternaam**.

4. Typ in het vak **Gewenste gebruikersnaam** de gebruikersnaam die u wilt hebben. Google controleert automatisch of de gebruikersnaam nog vrij is. Het e-mailadres is *gebruikersnaam*@gmail.com. Is de gebruikersnaam niet beschikbaar, wijzig dan de gebruikersnaam en kijk of deze wel beschikbaar is.

Niet beschikbaar? Is de door u gewenste gebruikersnaam niet meer beschikbaar, probeer dan een combinatie met punten in de naam of voeg cijfers toe.

5. Typ een wachtwoord in het volgende vak en herhaal het wachtwoord in het vak daaronder.

6. Vul de overige gegevens in. De velden **Verjaardag** en **Geslacht** moet u invullen, het veld **Mobiele telefoon** is niet verplicht.

7. Typ in het vak **Uw huidige e-mailadres** een alternatief e-mailadres.

8. Schakel het selectievakje **Standaard startpagina** in als u Google wilt instellen als standaardstartpagina.

9. Typ de twee woorden in het vak bij **Bewijs dat u geen robot bent**.

10. Schakel het selectievakje in om akkoord te gaan met de servicevoorwaarden en het privacybeleid van Google. Gaat u niet akkoord, dan kunt u geen Google-account maken.

11. Schakel het selectievakje in als u Google wilt toestaan om uw accountgegevens te gebruiken voor gepersonaliseerde inhoud en advertenties op niet-Google-websites. Klik op de link **Over personalisatie** voor meer informatie. Wilt u hier geen gebruik van maken, schakel dan het selectievakje voor deze optie uit.

12. Klik op de knop **Volgende stap**.

13. Uw account is nu gemaakt en Google stuurt een verificatiebericht naar uw huidige e-mailadres. Hierop moet u reageren en uw nieuwe wachtwoord typen.

14. De laatste stap is het maken van uw profiel. U kunt hier informatie over uzelf vastleggen en een profielfoto toevoegen.

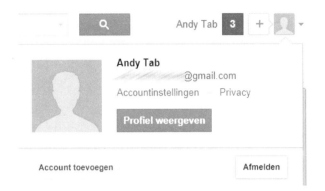

Klik op de knop
rechtsboven om
uw profiel te bekij-
ken of u af te mel-
den. U kunt hier
ook de account-
instellingen bewer-
ken.

Bij uw Google-account krijgt u ook toegang tot het sociale netwerk Google+ en Google Drive. Met Google Drive krijgt u vijf GB opslagruimte op de servers van Google en hebt u toegang tot Google Documenten.

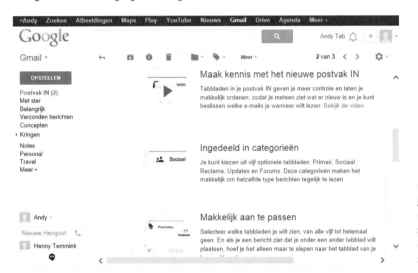

Gelukt, u bent aan-
gemeld met uw
nieuwe Google-
account en u hebt
een nieuw e-mail-
adres.

Google Drive   Lees eerst de servicevoorwaarden van Google voordat u Google Drive gaat gebruiken. Vooral de paragraaf *Uw inhoud in onze Services* geeft stof tot nadenken.

2

Gebruikersinterface

Na de kennismaking is het tijd voor de eerste start van uw tablet. Doorloop de stappen om uw tablet gereed te maken voor gebruik en ontdek hoe u uw tablet bedient.

Voor de start

Hebt u een Galaxy Note of Galaxy Tab met simkaartsleuf, plaats dan eerst de sim-kaart voordat u de tablet voor de eerste keer start. Er zijn verschillende modellen simkaart, maar u hebt een standaard simkaart nodig. Het plaatsen van de simkaart is eenvoudig genoeg. Open het klepje van de simkaartsleuf en schuif de simkaart met de chip omlaag in de sleuf. Sluit daarna het klepje.

Mobiele datanetwerk Installeert u een simkaart, dan kunt u met uw tablet ook telefoneren, maar hebt u ook toegang tot het mobiele datanetwerk. Vrijwel alle providers van mobiele telefonie bieden ook mobiel internet aan, dat is het mobiele datanetwerk. Het voordeel is dat u ook een internetverbinding hebt als u onder-weg bent of ergens waar u geen toegang hebt tot een Wi-Fi-netwerk. Voor het mobiele datanetwerk hebt u databundel nodig; die zijn er zowel prepaid als bij een abonnement. U weet dat uw tablet geschikt is voor het mobiele datanetwerk als de tablet voorzien is van een simkaartsleuf. De term Cellular, 3G of 4G in de model-aanduiding of in de specificaties van de tablet duidt daar ook op.

Simkaart plaatsen
(Bron: handleiding
Samsung Galaxy
Note GT-N8000).

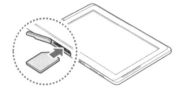

Simkaart installeren Schakel uw tablet uit voordat u de simkaart in uw tablet installeert of verwijdert. Zo loopt u geen risico op schade aan uw tablet of simkaart.

Eerste start

De eerste keer dat u uw tablet inschakelt, moet u een paar vragen beantwoorden en wat instellingen aanpassen voordat u aan de slag kunt. Zorg dat de tablet in elk geval gedeeltelijk is opgeladen of via de netvoeding wordt opgeladen als u de tablet voor de eerste keer start.

Druk enkele seconden op de aan-uitknop om de tablet in te schakelen. Nu wordt het besturingssysteem Android gestart, daarom duurt het altijd even voordat u een reactie krijgt en er iets op het scherm verschijnt. Tijdens het wachten ziet u meestal eerst de naam van de tablet, gevolgd door een animatie en de naam Samsung en daarna start u met de configuratie van uw tablet.

Tik Het aanraakscherm van uw tablet is erg gevoelig. U hoeft er geen druk op uit te oefenen, een lichte aanraking is voldoende. U tikt op het scherm waar u op de computer een muisklik zou gebruiken.

Start u de tablet voor de eerste keer, dan krijgt u het welkomstscherm te zien. Het kan zijn dat het welkomstscherm er op uw tablet wat anders uitziet. Dat is geen probleem, de stappen blijven hetzelfde.

1. Als het goed is, ziet u onder **Taal selecteren** de knop **Nederlands (Neder-land)** en daarnaast de knop **Start**.

   ■ Ziet u een andere taal of wilt u een andere taal en regio instellen? Tik dan op de knop **Nederlands (Nederland)**. Veeg met uw vinger omhoog of omlaag in de lijst met talen en landen. Tik op de gewenste taal en land. De teksten op het scherm veranderen in de gewenste taal.

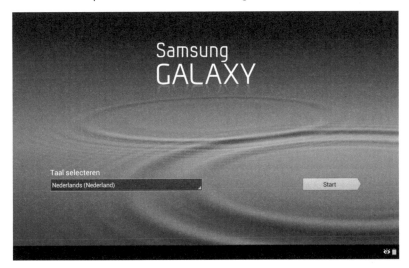

Selecteer de taal in het welkomst-scherm en tik daarna op de knop Start.

2. Tik op de knop **Start**.

3. Als uw tablet geschikt is voor een mobiel datanetwerk en u de simkaart al hebt geïnstalleerd, dan start nu het activeringsproces. Nog geen simkaart geïnstalleerd? Geen probleem, dat kan ook later. Wilt u nu niet activeren, tik dan op de knop **Overslaan**. Is de tablet niet geschikt voor het mobiele netwerk of is activering voor uw provider niet nodig, dan gaat het installatieproces verder met de volgende stap.

Pincode   Als uw simkaart beveiligd is met een pincode, dan moet u eerst de pincode opgeven voordat de simkaart verbinding kan maken. De pincode hebt u gekregen van uw provider, maar standaard worden zowel 0000 als 1234 veel gebruikt. Is dat bij u ook het geval? Vergeet dan niet om deze pincode later te wijzigen!

4. U ziet een lijst met Wi-Fi-netwerken binnen bereik. Bij elk netwerk staat of – en hoe – het beveiligd is, het pictogram erachter toont hoe sterk het signaal is. Tik op de naam van uw Wi-Fi-netwerk.

5. Voor een beveiligd netwerk moet u nu het wachtwoord opgeven. Het scherm-toetsenbord komt automatisch tevoorschijn zodra u tikt op een plaats waar u tekst moet invoeren. Typ het wachtwoord en tik op **Verbinden**. Als de ver-binding tot stand is gekomen, krijgt u daarvan een melding. Tik op **Volgende** om door te gaan.

Als u iets moet invoeren, ver-schijnt automatisch het toetsenbord. Typ het wacht-woord voor uw Wi-Fi-netwerk.

Toetsenbord Het toetsenbord lijkt op uw computertoetsenbord en het werkt ook zo, maar er zijn een paar verschillen. De letters en cijfers ziet u allemaal, maar wilt u speciale tekens en leestekens gebruiken, dan tikt u op de ?123-toets of de SYM-toets. Deze toets verandert dan in de ABC-toets. Tikt u daarop, dan keert u terug naar de letterindeling. Het toetsenbord komt in het volgende hoofdstuk nog uitgebreid aan de orde.

6. In deze stap stelt u de tijd en tijdzone in. Controleer ook meteen de tijd en datum. Tik op de waarde die u wilt wijzigen. Bij de tijdzone krijgt u dan een lijst te zien, veeg met uw vinger omhoog of omlaag totdat u de juiste tijdzone ziet. Tik op die vermelding. Is de instelling correct, tik dan op **Volgende**.

7. Maak een Samsung-account met de knop **Nieuw account** als u gebruik wilt maken van de verschillende diensten van Samsung, zoals het terugvinden van uw tablet of een reservekopie maken van uw persoonlijke gegevens. Hebt u al een account, dan kunt u zich daarmee aanmelden met de knop **Inloggen**. Weet u nog niet of u een account wilt maken, tik dan op **Overslaan**. U kunt immers altijd op een later tijdstip een account maken.

8. Wilt u uw tablet optimaal gebruiken, dan hebt u een Google-account nodig. Hebt u al een Google-account, tik dan op de knop **Ja**. Typ uw gebruikersnaam (het gedeelte van uw e-mailadres voor het @-teken) en het wachtwoord op de juiste plaatsen en tik op **Aanmelden**.

Meld u aan met uw Google-account of maak een nieuw account.

- Hebt u nog geen account, tik dan op de knop **Nee**. U kunt nu een nieuw account maken. Dit gaat op dezelfde manier als op de computer, zie eventueel het vorige hoofdstuk. Volg de aanwijzingen op het scherm.

Back-up Hebt u met uw Google-account een reservekopie (back-up)gemaakt van uw tablet of een ander Android-apparaat en wilt u die terugzetten? Dan moet u zich *nu* aanmelden en de optie **Terugzetten vanuit mijn Google-account naar deze tablet** inschakelen. Dat is de enige mogelijkheid om de opgeslagen back-up terug te zetten. Later lukt dat niet meer, want dan is de back-up overschreven met de nieuwe instellingen.

9. De volgende stap is het koppelen van een creditcard aan uw Google-account. Wilt u meer aanschaffen dan gratis apps in de Play Store, dan hebt u daarvoor een creditcard nodig. Vul de benodigde gegevens in en tik op **Opslaan**. Wilt u (nog) geen creditcard koppelen, tik dan op **Overslaan**.

10. Het is een goed idee om een reservekopie (back-up) van uw gegevens, apps en instellingen te maken. Daarvoor schakelt u de optie **Een back-up van deze**

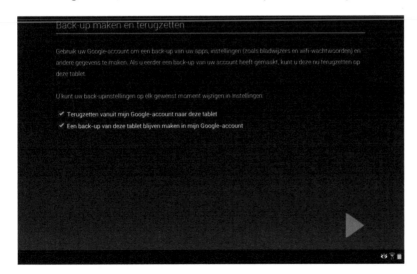

Gebruik uw Google-account om automatisch een back-up te maken van uw tablet. Zo raakt u niet snel iets kwijt.

tablet blijven maken in mijn Google-account in. Hebt u al eerder een back-up van een Android-apparaat gemaakt met uw Google-account, dan verschijnt een tweede optie waarmee u deze back-up kunt terugzetten. Schakel daarvoor de optie **Terugzetten vanuit mijn Google-account naar deze tablet** in. Tik ten slotte op de knop **Volgende** (de driehoek rechtsonder).

11. Op het volgende scherm schakelt u de locatieservice van Google in of uit. Google verzamelt anoniem de locatiegegevens van uw tablet, ook als u niet actief bent. Deze gegevens gebruikt Google voor betere zoekresultaten en andere services. Wilt u hiervoor toestemming geven, dan tikt u op **Volgende**. Wilt u een of beide opties uitschakelen, dan tikt u op het selectievakje van die optie(s) zodat het vinkje verdwijnt. Tik daarna op **Volgende**. U kunt deze instellingen later altijd weer wijzigen.

12. De eigenaarsinformatie is de volgende stap. Android gebruikt deze informatie om een aantal apps te personaliseren. Typ uw naam – als dat nodig is – en tik op **Volgende**.

13. Daarmee is de configuratie voltooid. Tik op **Voltooien** om uw tablet te gaan gebruiken.

En daarmee is uw tablet klaar voor gebruik. U kunt de gemaakte instellingen later altijd aanpassen.

Update　Is uw tablet nog voorzien van Android 4.0, dan heeft Samsung ondertussen een software-update voor uw tablet. Is er een internetverbinding, dan controleert de tablet op regelmatige tijden of er nieuwe systeemsoftware beschikbaar is. Is dat het geval, dan krijgt u daarvan een melding en kunt u de software installeren. Het downloaden en installeren kost echter wel wat tijd. In eerste instantie krijgt uw tablet een update naar Android 4.0.4, na installatie daarvan ontvangt u de update naar Jelly Bean. Hiermee krijgt uw tablet een nieuw uiterlijk en tal van apps zijn vervangen of verbeterd.

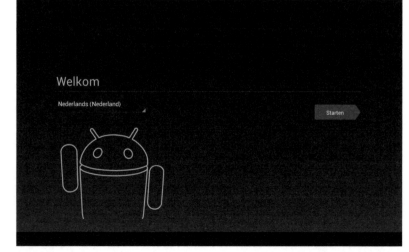

Zag uw welkomstscherm er zo uit? Dan is uw tablet nog voorzien van Android 4.0. Dan staat u nu nog de update naar Jelly Bean te wachten.

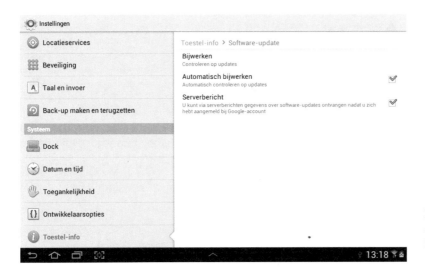

Zelf controleren of er een update beschikbaar is met Instellingen.

En zo doet u dat:

1. Open het meldingenvenster met een tik op de tijd rechtsonder.

   ■ Hebt u net de tablet geconfigureerd, dan bestaat de mogelijkheid dat de software-update al is ontdekt en wordt gedownload. U ziet dat in het meldingenvenster. Als u hier de melding ziet dat een software-update wordt gedownload, wacht dan af totdat het downloaden voltooid is en ga dan verder met stap 7.

2. Tik op **Instellingen**.

3. Veeg met uw vinger omlaag en tik op **Toestel-info**.

4. Tik op **Software-update**.

5. Tik op **Bijwerken**. Nu controleert Android of er een software-update beschikbaar is.

6. Als een update beschikbaar is, dan kunt u deze downloaden.

7. Tik op de melding dat de software-update is gedownload.

8. U krijgt nu een informatievenster te zien met twee knoppen: **Installeren** en **Later**. Controleer of de batterij van de tablet voldoende is opgeladen of sluit de tablet aan op de netvoeding voordat u de software-update installeert.

9. Tik op de knop **Installeren** en wacht rustig af. U kunt tijdens deze update de tablet *niet* gebruiken.

10. Als de software is bijgewerkt, verschijnt een melding op het scherm. Tik op de knop **OK**.

Nieuwe systeem-
software voor uw
tablet. Lees vooral
de melding voor-
dat u de update
installeert.

De update is geïn-
stalleerd en uw
tablet is klaar voor
gebruik.

Kies   Installeer het programma Samsung Kies op uw computer als u uw tablet met de computer wilt beheren. Voert u de software-update liever niet direct op uw tablet uit, sluit dan de tablet aan op de computer en gebruik het programma Kies om de update uit te voeren. Kies komt verderop in dit boek nog aan de orde.

Vingeroefeningen

U bedient uw tablet voornamelijk met het aanraakscherm en uw vingers. In het scherm ziet u pictogrammen, knoppen, menu's, het toetsenbord en andere items. U manipuleert deze schermobjecten met uw vingers.

■ **Tik**   Raak een item aan op het scherm. Raakt u het pictogram van een app aan, dan opent u daarmee de app. Raak een knop aan of een toets op het toetsenbord om deze in te drukken.

■ **Dubbeltik**   Tik tweemaal snel achter elkaar op het scherm. Dubbeltikt u bijvoorbeeld in de app Browser op een webpagina, dan zoomt u in op dat gedeelte zodat het de breedte van het scherm vult.

■ **Vasthouden**   Raak een schermobject aan en houd uw vinger op het scherm totdat u een reactie krijgt.

■ **Slepen**   Raak een item op het scherm aan en houd uw vinger op het scherm, schuif uw vinger naar de gewenste positie en haal dan pas uw vinger van het scherm. Zo versleept u bijvoorbeeld een widget of een pictogram naar een andere locatie op het startscherm.

■ **Vegen**   Een snelle beweging over het scherm. Deze beweging lijkt op het omslaan van een bladzij in een boek. U kunt horizontaal vegen (*to swipe* in het Engels), bijvoorbeeld als u door de foto's van een album bladert. U veegt omhoog of omlaag als u door een webpagina wilt scrollen of in een lijst.

■ **Knijpen** Plaats twee vingers op het scherm en beweeg ze naar elkaar toe om uit te zoomen, beweeg uw vingers van elkaar vandaan om in te zoomen. De term knijpen (*to pinch* in het Engels) wordt voor beide bewegingen gebruikt. In een aantal apps zoals Maps, Browser en Galerij knijpt u om in en uit te zoomen.

Meer vingers Deze acties kunt u ook met meer vingers uitvoeren. In een aantal apps gebruikt u meer vingers om het gewenste resultaat te krijgen.

■ **S Voice** Met S-Voice bestuurt u de tablet met uw stem. U geeft uw tablet opdrachten zoals *Turn Wi-Fi on* of *What is the weather for today?*. U start S Voice met een tik op het pictogram van S Voice. Als alternatief kunt u op de Note 8.0 tweemaal op de knop **Start** drukken. Voor S Voice zijn zes talen beschikbaar, maar helaas geen Nederlands. Dat is jammer, maar als u redelijk Engels spreekt, komt u een eind. Hebt u S Voice geopend, tik dan op de knop met het vraagteken om een lijst te zien met mogelijke opdrachten. Tik op de knop met de microfoon om een opdracht te geven. Ook hier geldt dat een onduidelijke uitspraak of veel achtergrondgeluid de bruikbaarheid van de functie nadelig beïnvloeden. U krijgt antwoord zowel in spraak als op het scherm. De witte ballonnen tonen wat u hebt gezegd, of beter, wat S Voice heeft verstaan. De blauwe ballonnen zijn de antwoorden. Wilt u het gesproken antwoord uitschakelen, tik dan op de knop links van de microfoon. S Voice is niet op alle Galaxytablets beschikbaar, maar wel op de Note en de Tab 3.

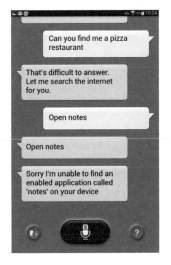

Links een lijst van mogelijke opdrachten, rechts S Voice in actie.

De Galaxy Note kent nog een kunstje:

■ **Beweging** Bewegingen moet u eerst activeren, daarvoor schakelt u bij **Instellingen** de optie **Beweging** in.

Voor de Note 10.1 zijn de volgende bewegingen beschikbaar:

Schakel de optie Beweging in of uit bij Instellingen, hier voor de Note 8.0.

Kantelen Houd de tablet met twee handen vast en blijf op twee punten het scherm aanraken. Kantel de tablet naar voren of naar achteren om in en uit te zoomen.

Pannen Houd uw vinger op een item op het scherm en beweeg de tablet naar links of naar rechts om het item naar een ander startscherm te verplaatsen. Hebt u ingezoomd op een afbeelding, beweeg de tablet dan in de richting waarin u over de afbeelding wilt scrollen.

Oppakken Hebt u een Galaxy Note met 3G of 4G, dan kunt u de tablet ook oppakken om te zien of u oproepen hebt gemist of dat u nieuwe berichten hebt ontvangen. Bekijkt u een lijst met oproepen, berichten of contacten, houd dan de tablet dicht bij uw gezicht als u een telefoongesprek wilt beginnen.

De Note 8.0 kent ook bewegingen, maar niet dezelfde als de Note 10.1. Bovendien beweegt u hier niet de tablet, maar maakt u een handgebaar. De handgebaren zijn:

Vegen Veeg met de zijkant van de hand van links naar rechts of andersom over het scherm als u een schermafbeelding wilt maken.

Bedekken Leg uw vlakke hand op het scherm als u het geluid wilt dempen of het afspelen van muziek of video wilt pauzeren.

Scherm draaien U kunt de tablet een kwartslag draaien, het beeld draait automatisch mee. Hebt u de tablet vast met de lange kant boven, dan is dat de liggende stand,

Webpagina in de staande stand en in de liggende stand.

ook wel landschap (van het Engelse *landscape*) genoemd. Voor het bekijken van video en films is de liggende stand handig, dan gebruikt u het beeldscherm optimaal. Hebt u de korte kant boven, dan hebt u de tablet vast in de staande stand of de portretstand (*portrait* in het Engels).

Vastzetten Soms is het niet zo handig dat het scherm meedraait, bijvoorbeeld wanneer u foto's bekijkt en niet alle foto's rechtop staan. Draait u dan het scherm om de foto in de juiste stand te bekijken, dan lukt dat niet. In dat geval kunt u de schermrotatie uitzetten. Open het meldingenvenster met een tik op de tijd (rechtsonder) en tik op de knop **Schermrotatie**. De onderrand en het symbool op de knop zijn helgroen als de functie is ingeschakeld, maar gedimd als de functie is uitgeschakeld.

Het meldingenvenster heeft knoppen voor het snel inschakelen of uitschakelen van functies.

Het maakt overigens niet uit of u de tablet naar links of naar rechts draait, het beeld draait gewoon mee. U draait dus gewoon door in de gewenste richting. Driemaal linksom is tenslotte ook rechtsom!

Soms is het handig om de tablet een kwartslag te draaien, bijvoorbeeld tijdens het bekijken van een webpagina. Houd de tablet vast in de liggende stand als u de tekst wat groter wilt zien of in de staande stand wanneer u een beter overzicht van de pagina wilt hebben. Het toetsenbord is ook veel groter in de liggende stand dan in de staande stand, maar daar staat tegenover dat er dan weinig plaats overblijft voor iets anders.

Draait niet Hoewel het beeld in de meeste apps keurig met de bewegingen van de tablet meedraait, is dat niet altijd het geval. Of het scherm meedraait, hangt af van de gebruikte app.

Vergrendelscherm

Wanneer u de tablet even niet gebruikt, dan schakelt die naar de slaapstand om energie te besparen. Eerst wordt het scherm donkerder en even later gaat het uit. Het scherm gebruikt relatief veel energie, met de slaapstand kunt u langer met de accu werken. U schakelt de slaapstand in met een korte druk op de aan-uitknop. Houdt u de aan-uitknop wat langer ingedrukt, dan kunt u de tablet helemaal uitschakelen. Een uitgeschakelde tablet schakelt u weer in met een wat langere druk op de aan-uitknop.

Veeg over het scherm of zet uw vinger op een pictogram en veeg om de app te openen.

Slim sluimeren   Bij **Instellingen**, **Display**, **Time-out scherm** stelt u in na hoeveel tijd het scherm uitschakelt. Maar het feit dat u het scherm niet aanraakt, wil niet zeggen dat u de tablet niet gebruikt. Schakel daarom de optie **Slim sluimeren** in, dan blijft het scherm aan zolang u naar het scherm kijkt. Deze optie gebruikt de camera om uw ogen te detecteren, dus zorg dat u niet per ongeluk uw duim op de frontcamera zet.

Houd de aan-uitknop wat langer ingedrukt en maak uw keuze.

Slim sluimeren zorgt ervoor dat het scherm niet wordt uitgeschakeld zolang u ernaar kijkt.

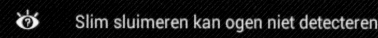

U haalt de tablet uit de slaapstand met een korte druk op de aan-uitknop. U ziet dan eerst het vergrendelscherm, daarna gaat u verder waar u was gebleven. Ook als u een uitgeschakelde tablet inschakelt, krijgt u het vergrendelscherm te zien. Veeg met uw vinger over het scherm en het startscherm verschijnt. U ziet op het vergrendelscherm ook enkele pictogrammen. U kunt de bijbehorende apps starten als u uw vinger op een pictogram zet en over het scherm veegt.

Wilt u niet dat iedereen uw tablet kan gebruiken? Schakel dan een beveiliging in. Dat doet u zo:

Beveiliging

1. Tik op de knop **Apps** of open het **Meldingenvenster**.

2. Tik op **Instellingen** (het tandwiel).

3. Tik op **Vergrendelscherm**.

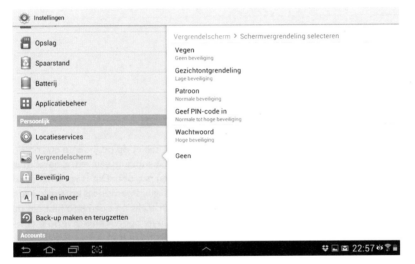

Beveilig het ontgrendelen van uw tablet.

4. Tik dan op **Schermvergrendeling**.

5. U ziet nu de volgende opties: **Vegen**, **Gezichtontgrendeling**, **Patroon**, **Geef PIN-code in**, **Wachtwoord** en **Geen**. De standaardinstelling is Vegen.

6. Tik op een van de opties **Gezichtontgrendeling**, **Patroon**, **Geef PIN-code in** of **Wachtwoord** om de toegang tot uw tablet te beveiligen.

Nu moet u telkens het ingestelde patroon, de pincode of het wachtwoord invoeren om uw tablet te ontgrendelen.

Notatie   Een reeks stappen zoals in het voorbeeld hiervoor wordt vaak ingekort tot **Apps**, **Instellingen**, **Vergrendelscherm**, **Schermvergrendeling**. De vetgedrukte teksten zijn de knoppen, pictogrammen of menuopties waarop u moet tikken.

Een wachtwoord en een pincode zijn bekend terrein. U kiest een wachtwoord of pincode voor het ontgrendelen van uw tablet en herhaalt het gekozen wachtwoord of de pincode als bevestiging. De volgende keer dat u de tablet ontgrendelt, verschijnt het toetsenbord op het vergrendelscherm, zodat u het wachtwoord of de pincode kunt invoeren.

Maar het kan ook zonder toetsenbord, als u kiest voor beveiliging met een patroon of gezichtontgrendeling. Kiest u de optie **Patroon**, dan verschijnen negen cirkels op het scherm. Sleep met uw vinger uw eigen patroon en herhaal het patroon als bevestiging. Als extra beveiliging geeft u hierna een pincode in zodat u het scherm ook kunt ontgrendelen als u het patroon niet meer weet. Voortaan ontgrendelt u uw tablet door met uw vinger het juiste patroon op het scherm te tekenen.

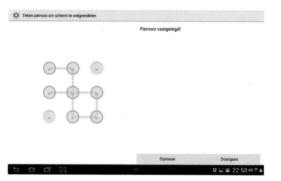

Sleep met uw vinger een zelf-bedacht patroon over de cirkels. Voortaan ontgren-delt u uw tablet zonder toetsen-bord.

Met de optie **Gezichtontgrendeling** houdt u de tablet op ooghoogte en zorgt u dat uw gezicht in de ovaal zichtbaar is. Daarnaast moet u een extra beveiliging inschakelen, zoals een pincode, wachtwoord of een patroon. Dat is voor het geval dat de camera uw gezicht niet herkent. Deze beveiligingsmethode is vrij zwak, want iedereen die op u lijkt, kan uw tablet ontgrendelen. Zelfs met een foto lukt het de tablet te ontgrendelen. Dat laatste gaat u tegen als u de optie **Aanwezigheid controleren** inschakelt. Nu moet u bij het ontgrendelen ook met uw ogen knipperen. Wordt het gezicht of het knipperen niet herkend, dan moet u de pincode, wachtwoord of het ingestelde patroon gebruiken om de tablet te ontgrendelen.

Uw gezicht als sleutel voor uw tablet. Schakel wel de knippercontrole in.

Gezicht en stem   De Galaxy Tab 3 en de Note 8.0 kunt u ook beveiligen met de optie Gezicht en stem. Zorg dat uw gezicht in het kader zichtbaar is. Is uw gezicht herkend, dan kiest u een korte zin als spraakopdracht, deze zin moet u viermaal herhalen. Daarna moet u ook een pincode of een wachtwoord toevoegen, zodat u uw tablet kunt ontgrendelen als deze uw gezicht en/of uw stem niet correct herkent.

Op het vergrendelscherm kunt u apps en een ticker met nieuws of aandelenkoersen plaatsen. Dit werkt alleen als u bij **Instellingen**, **Vergrendelscherm** de optie **Met veegvergrendeling** hebt ingeschakeld. U mag maximaal vijf apps op het vergrendelscherm zetten, daarbij hebt u de vrije keuze uit alle geïnstalleerde apps op uw tablet. Zet uw vinger op de app van uw keuze en veeg over het scherm. Hebt u een beveiliging ingesteld, zoals een patroon of wachtwoord, dan moet u deze wel eerst invoeren. Daarna start de app direct vanaf het vergrendelscherm.

Sneltoetsen

Wilt u vanaf het vergrendelscherm meteen een app starten of een informatieticker instellen? Dat doet u hier.

U stelt dit in bij **Instellingen**, **Vergrendelscherm**, **Vergrendelscherm opties**. Schakel eerst de optie **Sneltoets** in met de schakelaar en tik dan op **Sneltoets**. In het volgende scherm kunt u nu apps toevoegen, verwijderen of ze een andere volgorde geven.

■ U sleept een app naar de onderrand van het scherm in de prullenbak om deze te verwijderen van het vergrendelscherm.

■ Tik op de plusknop en tik op een app in de lijst met apps op uw tablet om deze app toe te voegen aan het vergrendelscherm.

■ En wilt u een app verplaatsen, sleep deze dan naar de gewenste locatie, de andere apps schuiven op om plaats te maken.

Zet u de schakelaar aan voor de optie **Informatieticker**, dan kunt u kiezen uit de opties **Nieuws** en **Aandelen**. Tik op de optie **Informatieticker** om uw keuze te

Verwijder apps van het vergrendelscherm of voeg apps toe met de plusknop.

maken. Daarna tikt u op **Instellen** om aan te geven welk nieuws of aandelen u wilt zien en met welk interval deze informatie ververst moet worden. Voor het nieuws kunt u ook een land opgeven, maar Nederland staat er (nog?) niet tussen.

Verder kunt u hier de opties **Klok** en **Help-tekst** inschakelen als u deze op het vergrendelscherm wilt weergeven.

Eigenaar   Wilt u ook de naam van de eigenaar op het vergrendelscherm zien? Tik dan bij **Instellingen**, **Vergrendelscherm** op de optie **Gegevens eigenaar**. Typ in het vak de tekst die u op het vergrendelscherm wilt laten verschijnen en schakel het selectievakje **Eigenaargegevens op vergrendeld scherm weergeven** in. Tik ten slotte op **OK**.

Het vergrendelscherm met klok, ticker en apps.

Startscherm

Het startscherm is de vaste basis op uw tablet. Hier begint u en hier keert u terug. Eigenlijk is de term startscherm een beetje misleidend, want u hebt namelijk maximaal zeven startschermen tot uw beschikking. Deze extra startschermen bieden ruimte voor meer widgets en snelkoppelingen. Het middelste startscherm wordt het centrale startscherm genoemd, de andere startschermen liggen rechts en links daarvan. U wisselt naar een ander startscherm met een veeg over het scherm van links naar rechts of andersom. Of tik op een van de punten middenboven. Elke punt staat voor een startscherm.

Het centrale start-scherm.

U kunt startschermen toevoegen, verwijderen en verplaatsen. Knijp op het start-scherm en u krijgt de miniatuurtjes van de startschermen te zien.

■ Tik op het miniatuurtje met de plus om een startscherm toe te voegen.

■ Sleep een miniatuurtje naar de bovenrand op de prullenbak om dat startscherm te wissen.

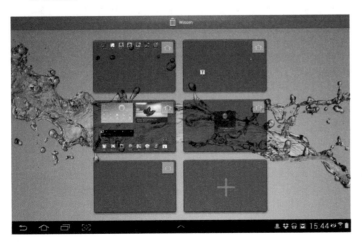

Versleep de minia-tuurtjes als u start-schermen wilt verwijderen of verplaatsen.

■ Sleep een miniatuurtje naar de gewenste plaats als u de volgorde wilt wijzigen.

■ Bent u klaar met uw aanpassingen, tik dan op de tweede knop van links onder-aan het scherm, dit is de knop **Start**, daarmee keert u altijd terug naar het startscherm.

Het startscherm toont van huis uit een aantal apps en widgets, maar u mag het startscherm inrichten zoals u dat zelf wilt. Zet er bijvoorbeeld snelkoppelingen op naar uw favoriete programma's of een paar handige widgets. Een widget is een zelf-standig schermonderdeel dat informatie toont of toegang biedt tot een app. U bepaalt zelf welke onderdelen er op het scherm staan en u kiest uw eigen achter-grond. Alleen de vier vaste onderdelen op het startscherm kunt u niet wijzigen of verslepen. Deze onderdelen liggen vast en zijn op elk startscherm zichtbaar, hoe-wel een app ze soms kan dimmen:

1. De navigatieknoppen;

2. De knop **Zoeken**;

3. De knop **Apps**;

4. Tijd, status en meldingen.

Navigatie

De onderste rand van het scherm heeft links vier knoppen en in het midden één knop. Deze knoppen zijn vrijwel altijd zichtbaar, behalve als een app ze heeft gedimd. U ziet dan echter kleine, gedimde punten op hun plaats. Tikt u daarop, dan komen de navigatieknoppen weer tevoorschijn.

De navigatie-
knoppen (links) en
de knop Meer
vensters openen
(rechts).

U gebruikt deze knoppen voor het navigeren op uw tablet. De knoppen zijn van links naar rechts:

■ Met de knop **Vorige** opent u het vorige scherm. Is het toetsenbord zichtbaar, dan verandert deze knop in de knop **Verbergen**. Met de knop **Verbergen** sluit u het toetsenbord.

■ Tik op de knop **Start** om terug te keren naar het startscherm. Bent u op een van de andere startschermen aan het werk, dan opent u met deze knop het centrale startscherm. Houdt u uw vinger op deze knop, dan verschijnt een cir-kel met Google. Schuift u uw vinger naar Google, dan opent u de app Google.

Open Google
Now met de knop
Start.

- De knop **Recent** opent een lijst met miniatuurafbeeldingen van de apps waarmee u onlangs hebt gewerkt. Veeg omhoog of omlaag om door de lijst te scrollen. Tik op een miniatuurtje om de app te openen. Tik naast de lijst om deze te sluiten. U verwijdert een app uit de lijst door de app naar links of naar rechts te slepen. Houd uw vinger op een app voor het contextmenu. U ziet twee opties, daarmee kunt u de info over de app bekijken of de app uit de lijst verwijderen. Onder de lijst staan de knoppen **Taakbeheer** en **Alles wissen**. Met **Taakbeheer** kunt u bijvoorbeeld apps stoppen. Met **Alles wissen** maakt u de lijst met recente apps leeg.

De lijst met apps
die u onlangs hebt
geopend.

- De knop **Snel starten** maakt een schermafbeelding van uw tablet. U maakt dan met een tik een schermafbeelding van uw tablet. Dat is een stuk handiger dan het gelijktijdig indrukken van de aan-uitknop en de volumeknop (-). U kunt deze knop echter zelf een nieuwe functie geven. U doet dat bij **Instellingen**, **Display**, **Snel starten**.

Snel starten	
Geen	◉
Schermafbeelding	◉
Applicatiebeheer	◉
Zoeken	◉
Camera	◉
Annuleren	

Kies welke functie de knop Snel starten op uw tablet gaat uitvoeren.

■ De knop **Meer vensters openen** staat middenonder. Tikt u hierop, dan verschijnt een aantal mini-apps. Tik nogmaals op deze knop om de mini-apps te verbergen. Tikt u op zo'n mini-app, dan opent deze in een apart venster, zonder de andere app te sluiten. Dus wilt u tijdens een bezoekje aan de Play Store even uitrekenen hoeveel al die leuke apps u gaan kosten, dan tikt u op de knop **Meer vensters openen** en tik dan op de mini-app **Calculator**. Tik op de knop met het kruis linksboven om de rekenmachine weer te sluiten. En wilt u aanpassen welke mini-apps u hier te zien krijgt en de volgorde veranderen? Dan tikt u op de knop **Bewerken** en sleept u mini-apps van de onderste rij naar de bovenste of andersom of versleep ze naar de gewenste positie. Sluit af met de knop **Gereed** of **Annuleren**.

Mini-apps openen in een eigen venster over een andere app. Hier de Play Store en de mini-app Calculator.

Selecteer welke mini-apps u wilt zien en bepaal de volgorde.

De nieuwe Galaxy Note 8.0 en Galaxy Tab 3 zijn voorzien van drie knoppen onder het scherm, van links naar rechts: de knop **Menu**, de knop **Start** en de knop **Vorige**. Daarmee zijn de navigatieknoppen op het scherm verdwenen. De knoppen **Recent**, **Snel starten** en **Meer vensters openen** zijn verdwenen.

▪ De knop **Menu** is nieuw. Hiermee opent u een menu met beschikbare opties voor de taak waarmee u bezig bent. Bent u op het startscherm, houd dan uw vinger op deze knop als u Google zoeken wilt openen.

Menu   Bent u op zoek naar de instellingen voor een app, maar ziet u geen knop **Menu** in de actiebalk? Tik dan op de knop **Menu** van uw tablet.

▪ De knop **Start**. Druk op deze knop om terug te keren naar het startscherm. Bent u al op een startscherm, dan opent u hiermee het centrale startscherm. Houd uw vinger op deze knop als u de lijst met recente apps wilt openen. Druk tweemaal op deze knop om de app S Voice te openen.

▪ De knop **Vorige** gebruikt u om terug te keren naar het vorige scherm. U kunt hiermee ook het geopende toetsenbord sluiten. Op de Note heeft deze knop nog een extra functie. Houd uw vinger op deze knop om de functie Multi-window aan of uit te zetten. Met Multi-window kunt u twee apps tegelijk op het scherm weergeven.

Zoeken

Linksboven staat de knop **Google**. Tikt u op deze knop dan krijgt u de eerste keer het verzoek of u Google Now wilt gebruiken. Dit is een onderdeel van Google dat u kaarten toont met (hopelijk) voor u interessante informatie. Schakelt u Google Now in, dan ziet u voortaan de kaarten van Google Now als u Google opent. Tik op **Nu inschakelen** als u Google Now wilt gebruiken of tik op **Misschien later** als u er nog even over wilt nadenken. Daarna kunt u zoeken.

▪ Tik in het zoekvak bovenaan als u een zoekopdracht wilt typen.

▪ Tik op de microfoon rechts in het zoekvak als u de zoekopdracht wilt inspreken.

Google Now   Google Now is bedoeld als ingebouwde assistent die leert van uw zoekgedrag, locatie, informatie die u invult en meer. Daarmee probeert Google Now u antwoord te geven op vragen, zelfs als u die nog niet hebt gesteld. Dus geeft u uw werklocatie op, dan toont Google Now u een kaart met de weersverwachting voor thuis en werk, verkeersinformatie voor de reis en meer. Hebt u aangegeven dat u supporter bent van bepaalde sportteams, dan krijgt u de laatste uitslagen te zien. Niet alle informatie is ook voor Nederland beschikbaar, u zult vergeefs zoeken naar voetbalteams zoals Ajax of Feyenoord, maar bent u verzot op honkbal of American football, dan kunt u uw hart ophalen. Standaard toont Google Now alle kaarten, dus staat uw scherm regelmatig vol met ongevraagde – en ongewenste – informatie? Open dan de instellingen (rechtsonder) en bepaal welke kaarten u wel en welke u niet wilt zien.

Google Now vertelt u welk weer het is, hoe druk het is op de route naar uw werk en de koersen van uw favoriete aandelen.

Toetsenbord   U start een zoekopdracht met een tik op de knop **Google**. Het toetsenbord opent en u ziet eerder ingevoerde zoekopdrachten.

1. Typ uw zoekopdracht. (Staat uw zoekopdracht al in de lijst, tik er dan op.) Zodra u de eerste letters typt, verschijnen de eerste zoekresultaten op het scherm. Direct onder het zoekvak ziet u suggesties van Google web search, daaronder staan de resultaten die op uw tablet zijn gevonden.

2. Staat het gewenste zoekresultaat in de lijst, tik daar dan op om het te openen.

3. Is dat niet het geval? Tik dan op het pijltje achter een suggestie om de suggestie in het zoekvak te zetten. Dit levert nieuwe suggesties en zoekresultaten op. Of typ meer tekst in het zoekvak om uw zoekopdracht te verfijnen.

4. Levert uw zoekopdracht niet het gewenste resultaat op, tik dan op de Entertoets om met Google op internet verder te zoeken. De browser opent en toont de resultaten.

Terwijl u een zoekopdracht typt, verschijnen de eerste suggesties in beeld.

Zoeken in apps In apps zoals Gmail en Contacten opent het zoekvak van de app als u tikt op de knop **Zoeken** (met het loeppictogram). De resultaten binnen de app herkent u aan het pictogram van de app.

Vindt u praten makkelijker dan typen? Mooi, dan kunt u uw zoekopdracht ook inspreken.

Microfoon

1. Tik op het microfoonpictogram, daarmee opent u het venster Nu spreken.

2. Spreek uw zoekopdracht in, meestal ziet u dan een lijst met suggesties.

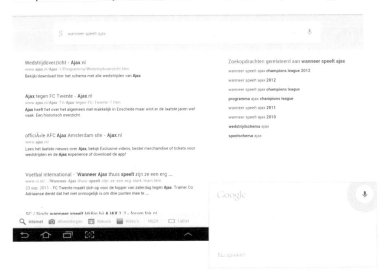

Geen zin in typen? Spreek uw zoekopdracht in, daarna verschijnt een lijst met suggesties.

3. Staat uw zoekopdracht erbij, tik er dan op. De Google-zoekpagina opent met de geselecteerde zoekopdracht.

4. Is er maar één suggestie, dan opent de Google-zoekpagina direct met de ingesproken zoekopdracht in het zoekvak. Verder werkt het als een normale zoekopdracht.

Gesproken zoekopdracht Als u op het pictogram Gesproken zoekopdracht tikt, komt u direct in het venster Nu spreken. Verder zijn de mogelijkheden precies gelijk.

Instellingen Google

Rechtsonder in het zoekvenster staat een menuknop, tik erop om het menu te openen. Of tik op de knop **Menu** als u een Note 8.0 of een Tab 3 hebt. De beschikbare opties zijn **Vernieuwen**, **Instellingen**, **Feedback verzenden** en **Help**.

Tik op de menuknop in het zoekvenster als u de instellingen wilt aanpassen voor Google.

Tik op **Instellingen**, u ziet dan de zoekinstellingen. Ze zijn verdeeld in verschillende groepen. Tik in de linker kolom op de naam van een groep instellingen en pas dan de instellingen aan in de kolom rechts.

■ **Google Now** Met de schakelaar zet u de functie **Google Now** aan of uit. Hebt u de functie ingeschakeld, dan ziet u in de rechterkolom welke kaarten

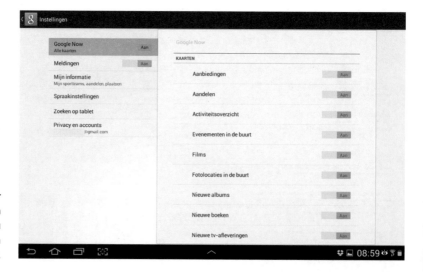

U bepaalt hier welke kaarten Google Now u mag tonen en welke niet.

beschikbaar zijn. Standaard staan alle kaarten aan. Is u dat wat te dol, selecteer hier dan welke kaarten u niet wilt zien en zet de schakelaar voor deze kaarten op uit.

▣ Meldingen   Met de schakelaar bepaalt u of u wel of geen meldingen van Google Now wilt krijgen. Hebt u meldingen ingeschakeld, dan selecteert u rechts welke meldingen u van Google Now wilt ontvangen en u selecteert bij **Beltoon** het geluid waarmee Google Now uw aandacht trekt. Standaard is dat een beschaafd fluitje.

▣ Mijn informatie   Bij **Plaatsen** geeft u uw huisadres en werkadres op, zodat Google Now de verkeersinformatie of de gegevens voor het openbaar vervoer voor het woon-werkverkeer kan tonen. Bij **Sport** selecteert u de teams die u wilt volgen. Jammer genoeg is hier niet zoveel aan Nederlandse informatie beschikbaar. Bij **Aandelen** geeft u op van welke de aandelen u de koers wilt volgen.

Geen Nederlandse voetbalclubs te bekennen…

▣ Spraakinstellingen   Hier stelt u de taal in voor zoeken met spraak en of (en wanneer) u spraakuitvoer wilt horen. Voor spraakherkenning is normaal ge-sproken een internetverbinding nodig. Hebt u geen internetverbinding, dan kunt u geen zoekopdrachten inspreken. Dat voorkomt u als u tikt op **Offline spraakherkenning downloaden**. Selecteer dan de taal die u wilt down-loaden. Als u een Bluetooth-headset gebruikt, vergeet dan niet om deze instel-ling in te schakelen.

▣ Zoeken op tablet   Schakel de selectievakjes in van de items die u wilt kun-nen doorzoeken op uw tablet.

▣ Privacy en accounts   Hier bepaalt u welk account Google Zoeken en Google Now gebruikt. Tikt u op **Google locatie-instellingen**, dan kunt u aangeven welke locatiegegevens Google mag gebruiken. Met de schakelaar van **Webgeschiedenis** stelt u in of Google uw zoekgeschiedenis mag gebruiken.

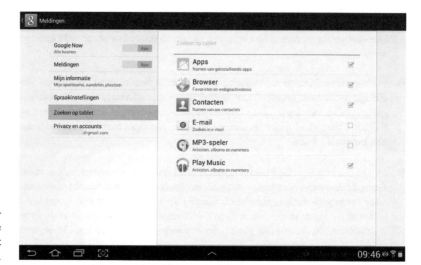

Schakel de selec-
tievakjes in van de
items waarin u wilt
zoeken.

Tik op de optie **Webgeschiedenis beheren**, als u uw webgeschiedenis wilt
bekijken en aanpassen. Met de optie **Zoeken op google.com** bepaalt u of u
Google.com of Google.nl wilt gebruiken voor uw zoekacties. Bij **SafeSearch-
filters** past u het niveau aan of schakelt u de filters uit. Tot slot kunt u bij de
optie **Juridisch** de servicevoorwaarden, het privacybeleid en dergelijke documenten bekijken.

Tekst naar spraak   Wilt u teksten laten voorlezen? Dat is helaas niet in het
Nederlands beschikbaar. Laat dat u echter niet weerhouden om het eens uit te pro-
beren. U stelt dit in bij **Instellingen**, **Taal en invoer**, **Uitvoer tekst-naar-
spraak**. U hebt hier de keuze tussen de TTS-engine (*text to speach*) van Google en
Samsung. Google biedt vijf talen, namelijk Engels, Frans, Italiaans, Duits en Spaans.
Samsung biedt daarnaast ook Koreaans en Chinees. Bent u nieuwsgierig? Tik dan op
Naar voorbeeld luisteren. Experimenteer ook met de spraaksnelheid en andere
talen.

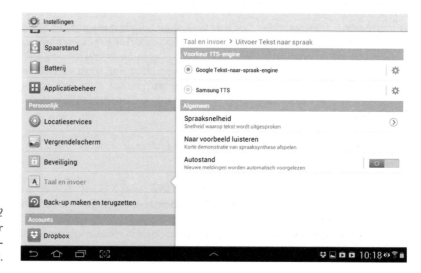

Tekst naar spraak?
Dat werkt, maar
niet in het Neder-
lands.

Apps

Rechtsboven ziet u de knop **Apps**. Tikt u op deze knop, dan krijgt u alle geïnstalleerde apps op uw tablet te zien. Het aantal punten onderaan het scherm vertelt u hoeveel schermen met apps er zijn. Boven de pictogrammen ziet u twee tabs, **Apps** en **Widgets**. U start altijd op de tab **Apps** waar u alle aanwezige apps op uw tablet ziet. Veeg naar links om het volgende scherm met apps te bekijken. Veeg naar rechts om weer terug te keren.

Tik op het startscherm op de knop **Apps** als u de apps die op uw tablet staan wilt zien. Rechtsboven ziet u twee knoppen. De linkerknop toont alleen de apps die u zelf hebt geïnstalleerd. De rechterknop opent het menu.

Apps beheren

Alle apps op uw tablet staan hier bij elkaar. U vindt hier ook handige widgets. De knop rechtsboven opent het menu.

- Wilt u een app starten, tik dan op het pictogram van de app. Wanneer u een toepassing start, dan blijven al geopende apps gewoon doorwerken. Luistert u dus naar muziek met de app Play Music en opent u de app Browser, dan speelt de muziek gewoon door. Tik op de knop **Vorige** om de vorige app te openen. U wisselt snel tussen de verschillende geopende apps met de knop **Recent** (op de Note 8.0 en Tab 3: houd de knop **Start** ingedrukt). Tik op de knop **Start** om de app te verlaten, daarmee sluit u de app overigens niet.

Multitasking Multitasking wil zeggen dat verschillende apps tegelijk werken. Android zorgt ervoor dat apps uw tablet niet te zwaar belasten wanneer meer apps tegelijkertijd geopend zijn. Android stopt en start apps als dat nodig is, zodat het niet nodig is om apps te sluiten. Dat wil zeggen, tenzij een app zich misdraagt. In dat geval zult u maatregelen moeten nemen. Hoe u dat doet, leest u in het bonushoofd-stuk, dat u kunt downloaden op www.vanduurenmedia.nl/support/downloads.

■ Houd uw vinger op een pictogram en plaats een snelkoppeling naar de app op het startscherm. Sleep de snelkoppeling naar de gewenste plaats op het startscherm en laat dan het pictogram los.

Houd uw vinger op een pictogram en plaats de app op het gewenste startscherm.

Plaats maken   Voegt u een item toe aan het startscherm, zoals een widget of een app, dan maken de aanwezige items automatisch plaats voor de nieuwkomer. U ziet de omtrekken van de items die u toevoegt en de items die uit de weg gaan voor de nieuwkomer.

■ Wilt u meer weten over een app? Tik dan op de menuknop en tik op **Bewerken**. Houd uw vinger op het pictogram van de app en sleep het naar de knop **App info** rechtsboven. Daarmee opent u het informatievenster van de app.

■ Wilt u apps verwijderen? Tik dan op de menuknop, tik op **Verwijderen**. De apps die u kunt verwijderen, krijgen nu een zwarte knop met een rode min op het pictogram. Tik op zo'n app en bevestig het verwijderen met een tik op de knop **OK**.

Niet te verwijderen   Let op, u kunt de standaardapps van Android niet verwijderen. Dat lukt alleen met de apps die u zelf hebt geïnstalleerd.

Apps bijwerken   Net als het besturingssysteem van uw tablet, krijgen ook de apps regelmatig een update. Als u net het besturingssysteem van uw tablet hebt bijgewerkt, bezoek dan ook de Play Store en eventueel Samsung Apps. Dan ontvangt u de laatste versie van de apps op uw tablet. Open Play Store, dat kan op verschillende manieren:

■ Tik op het pictogram **Play Store** op het startscherm.

■ Tik op de knop **Apps** en dan op **Play Store**.

■ Tik op de knop **Apps**, tik op de menuknop en tik op de optie **Play Store**.

Laat regelmatig de apps op uw tablet bijwerken. Dat regelt u in de Play Store.

Bij uw eerste bezoek aan Play Store moet u akkoord gaan met de voorwaarden van Google Play, dus tik op de knop **OK**. Rechtsboven staan drie knoppen. Tik op de linker knop, dan opent u **Mijn apps**. Tik op **Geïnstalleerd**, dan ziet u de apps op uw tablet. Links ziet u dan of er apps zijn waarvoor een update beschikbaar is. Klik bovenaan op de knop **Bijwerken** en ga zo nodig akkoord met de aangepaste voorwaarden.

Een widget toont informatie van een bepaalde app. De weer-app bijvoorbeeld toont het actuele weer en tikt u op de widget, dan opent u de app. Op het tabblad **Widgets** ziet u een aantal widgets en in de Play Store vindt u nog veel meer widgets. U kunt de afmetingen van de meeste widgets ook aanpassen, zodat u meer – of minder – informatie te zien krijgt.

Widgets

■ Tik op de knop **Apps** en dan op de tab **Widgets** om de widgets te bekijken.

■ Wilt u een widget toevoegen aan het startscherm? Houd uw vinger dan op de widget. Sleep de widget naar het gewenste startscherm en laat de widget los wanneer die op de juiste plaats staat.

Een widget biedt snelle toegang tot informatie. Maak uw keuze uit het ruime aanbod.

47

Afmetingen aanpassen   Houd uw vinger op de widget totdat er een geel kader om de widget verschijnt met vier rondjes in de rand. Zet uw vinger op zo'n rondje en versleep het totdat de widget de gewenste grootte heeft. Tik op een lege plek op het scherm om af te sluiten.

Pas de afmetingen van een widget aan met de sleeprondjes.

Startscherm aanpassen

Het is handig om het startscherm te voorzien van de widgets en apps die u regelmatig gebruikt.

Menu   Houd uw vinger op een lege plaats op het startscherm en u ziet een menu. Hiermee past u snel de achtergrond aan, voegt u iets toe aan het startscherm, maakt u een lege map of voegt u een extra startscherm toe (maximaal zeven). Tik naast het menu om het weer te sluiten.

Het startscherm heeft ook een eigen menu. Houd uw vinger maar op een lege plaats.

- U wisselt naar een ander startscherm met een veeg over het scherm van links naar rechts of andersom.

- Wilt u een onderdeel in het startscherm verplaatsen, houd uw vinger dan op dat onderdeel. Versleep het onderdeel naar de gewenste plaats of sleep het over de rand naar een ander startscherm. Staat het op de juiste plaats, haal dan uw vinger van het scherm.

- Houd uw vinger op een pictogram en u ziet bovenaan de knoppen **Map maken**, **Pagina maken** en **Wissen**.

Extra knoppen als u uw vinger op een pictogram houdt.

- Sleep het pictogram op de knop **Map maken** als u een map wilt maken en deze app erin wilt plaatsen.

- Sleep het pictogram op de knop **Pagina maken** als u een leeg startscherm wilt toevoegen en de app erop wilt plaatsen.

- Sleep het pictogram op de knop **Wissen** als u de app van het startscherm wilt verwijderen.

Niet weg Hiermee verwijdert u het onderdeel van het startscherm, maar niet van uw tablet. Het onderdeel staat dan gewoon weer op het oorspronkelijke tabblad waar u het in de eerste plaats vandaan hebt gehaald. Wilt u het weer op het startscherm zetten, dan kan dat natuurlijk.

Mappen Plaats soortgelijke apps in mappen bij elkaar. Dat is heel eenvoudig. Houd uw vinger op een lege plaats op het startscherm. Tik op de optie **Map** en geeft de nieuwe map een naam. Sleep nu een app bovenop de map en Android voegt de app toe aan de map. Tik op de map om deze te openen en de inhoud te bekijken.

Tik op een map en u ziet welke apps in de map zijn opgeslagen. Opgeruimd staat netjes.

Vindt u de achtergrond die de fabrikant van uw tablet heeft gekozen niet mooi? Geen probleem, u past de achtergrond gewoon aan en u kiest iets dat meer in overeenstemming is met uw smaak.

Achtergrond wijzigen

Houd uw vinger op een lege plek van het scherm en tik op **Achtergrond instellen**. Tik op de gewenste optie: **Startscherm**, **Vergrendelscherm** of **Start- en vergrendelscherm**. In het venster Achtergrond selecteren uit ziet u nu drie knoppen: **Achtergronden**, **Galerij** en **Live achtergronden**.

- Tikt u op de knop **Achtergronden**, dan ziet u onderaan het scherm miniatuurtjes van de achtergronden die met uw tablet zijn meegeleverd. Veeg door de miniatuurtjes totdat de miniatuur van uw keuze op het scherm wordt weergegeven. Tik dan op **Achtergrond instellen**.

Gebruik een van de meegeleverde achtergronden, gebruik een foto of experimenteer met de live achtergronden.

■ Met de knop **Live achtergrond** krijgt u de geïnstalleerde live achtergronden te zien. Een live achtergrond is een afbeelding met een animatie. Tik op de live achtergrond van uw keuze en tik daarna op de knop **Achtergrond instellen**.

■ Gebruikt u de knop **Galerij**, dan verschijnen de foto's en albums in beeld die u met de camera hebt gemaakt of die u op uw tablet hebt gezet. Tik op de foto die u als achtergrond wilt gebruiken. Op de foto ziet u een blauw kader. Dit kader toont u de uitsnede van de foto zoals deze in het scherm komt. Bevalt de uitsnede u niet, zet uw vinger binnen het kader en versleep het kader. U kunt het kader ook vergroten of verkleinen. Zet uw vinger op een van de diamanten en versleep deze totdat u de juiste uitsnede hebt. Tik op de knop **Gereed** om de foto als achtergrond in te stellen.

Kies een foto en bepaal de uitsnede. U ziet meteen wat u te zien krijgt als u de tablet in de liggende of staande stand vasthoudt.

Galerij gebruiken? Soms zijn er meer programma's waarin u foto's kunt bekijken. In dat geval maakt u eerst een keuze met welk programma u een foto wilt selecteren. Tikt u op het selectievakje voor **Standaard gebruiken voor deze actie**, dan wordt voortaan de geselecteerde app gebruikt. U krijgt deze vraag dan niet meer te zien.

Het resultaat
staand en liggend.

Status en meldingen

Op het scherm ziet u rechtsonder de tijd, met links en rechts daarvan pictogrammen. Rechts van de tijd staan de statuspictogrammen. Deze vertellen iets over de toestand van uw tablet. Links van de tijd staan de meldingspictogrammen. Deze meldingen zijn afkomstig van het besturingssysteem en apps.

Het status- en meldingengebied. Links van de tijd de meldingen, rechts de status.

In Android 4.2 staat het status- en meldingengebied bovenaan het scherm. Daar treft u dan ook de status- en meldingspictogrammen aan op de Galaxy Note 8.0 en

Het status- en meldingengebied op de Note 8.0 en de Tab 3 staat niet onderaan het scherm, maar bovenaan. Links de meldingen, rechts de statuspictogrammen.

de Galaxy Tab 3. De pictogrammen en hun betekenis zijn vrijwel ongewijzigd. Veeg van de bovenrand van het scherm omlaag om het meldingsvenster te openen. Veeg van de onderrand omhoog om het meldingenvenster te sluiten.

Status   Rechts ziet u het pictogram voor de accu, dit geeft een indicatie van de ladingstoestand ervan. Daarnaast staat het pictogram voor het draadloze netwerk. Dit pictogram geeft de signaalsterkte van het aanwezige netwerk weer. Dat draadloze netwerk is bijvoorbeeld een Wi-Fi-verbinding of een verbinding via het mobiele datanetwerk. Het aantal streepjes geeft de sterkte van de verbinding aan.

Meldingen   Als er meldingen zijn, dan ziet u een meldingspictogram links van de tijd. In het meldingenvenster staat een korte uitleg bij elke melding. Meldingen zijn berichten van het besturingssysteem en apps. U krijgt bijvoorbeeld een melding wanneer er een nieuw bericht binnenkomt, een andere melding waarschuwt u voor een aanstaande afspraak of wanneer het downloaden van een bestand is voltooid. Een melding kan ook vergezeld gaan van een geluid of een lichtsignaal, dat hangt ook af van de instellingen. De melding verschijnt kort in het status- en meldingengebied en voegt dan een meldingspictogram toe. U kunt alle meldingen bekijken en afhandelen in het meldingenvenster.

Meldingen-   Het meldingenvenster toont niet alleen de meldingen, heeft meer te bieden. Dit
venster   venster toont informatie over de status van uw tablet en daaronder ziet u eventueel aanwezige meldingen. U sluit het meldingenvenster met een tik buiten het meldingenvenster.

Het meldingenvenster opent u met een tik op de tijd in het status- en meldingengebied.

Batterijlading Wilt u weten hoe vol de accu nog is, tik dan op de tijd om het meldingenvenster te openen. Voor de tablets met Android 4.2 laat u ladingspercentage van de batterij direct naast het statuspictogram weergeven. U doet dat bij **Instellingen**, **Display**, **Batterijpercentage weergeven**.

Bovenaan staat de tijd en daaronder de datum. De volgende regel toont het soort netwerkverbinding met de naam en rechts staat bij het accupictogram het percentage lading. Daaronder ziet u vijf schakelaars, waarmee u snel zaken in- of uitschakelt. Veeg naar links over de schakelaars om ook de andere schakelaars te onthullen. Hier schakelt u dus heel gemakkelijk bijvoorbeeld de netwerkverbinding, beltoon, schermrotatie of blokkeerstand in of uit.

Blokkeerstand In de blokkeerstand ontvangt u geen meldingen. U kunt alle meldingen tegenhouden of alleen gedurende bepaalde uren. Handig als u 's nachts niet gestoord wilt worden door binnenkomende berichten.

De helderheid regelt u met de schuifregelaar daaronder. Hebt u de optie **Auto** ingeschakeld, dan houd de tablet ook rekening met de hoeveelheid omgevingslicht.

Alle instellingen voor uw tablet bereikt u met een tik op **Instellingen**.

Daaronder ziet u het venster met meldingen.

- Tik op de knop **Wissen** als u alle meldingen tegelijk wilt wissen.

- Tik op de melding die u wilt afhandelen. Hebt u bijvoorbeeld een melding van een nieuw Gmail-bericht, tik dan op de melding om het bericht te lezen en eventueel te beantwoorden. De melding verdwijnt dan uit het meldingengebied.

- Wilt u een melding verwijderen, bijvoorbeeld de melding dat het downloaden van een bestand voltooid is, sleep de melding dan naar links of naar rechts om die te verwijderen.

- Sommige meldingen geven u ook de gelegenheid om een bepaalde actie uit te voeren. Tikt u bijvoorbeeld op de melding **USB-foutopsporing verbonden**, dan schakelt u de foutopsporing uit. Dat is veel sneller dan de gebruikelijke weg, daarvoor zou u minimaal vijf tikken nodig hebben: **Apps**, **Instellingen**, **Ontwikkelaarsopties**, **OK** in het dialoogvenster, **USB-foutopsporing**.

Tik buiten het meldingenvenster om het venster te sluiten.

Het meldingenvenster heeft dezelfde onderdelen, maar op een andere plaats. De knop Instellingen staat nu rechtsboven en de naam van het netwerk staat helemaal onderaan het venster. De knoppen hebben een ander uiterlijk gekregen, maar doen nog steeds hetzelfde. En ook de meldingen handelt u nog steeds op dezelfde manier af.

Het nieuwe meldingenvenster van de Note 8.0 en de Tab 3. Veeg omlaag over het scherm om het meldingenvenster te openen.

Geheugenkaart

Uw tablet is voorzien van een sleuf voor een micro-SD-geheugenkaart. Met een geheugenkaart kunt u eenvoudig de opslagcapaciteit van uw tablet uitbreiden. De Galaxy Note kunt u uitbreiden met een geheugenkaart van maximaal 64 GB, de Tab accepteert niet meer dan 32 GB.

U kunt een geheugenkaart plaatsen terwijl de tablet is ingeschakeld of uitgeschakeld. Open het klepje en plaats de geheugenkaart met de contactpunten omlaag en naar voren in de sleuf. Duw de kaart naar binnen totdat deze vastklikt. De kaart past maar op één manier. Sluit daarna het klepje.

Is de geheugenkaart niet voorzien van de juiste bestandsstructuur (FAT), dan verschijnt de vraag of u de kaart opnieuw wilt formatteren. Weet u zeker dat er niets belangrijks op de kaart staat, laat de kaart dan formatteren. Controleer anders de inhoud van de kaart met de computer en bewaar eventueel de inhoud op de computer. Of gebruik een andere geheugenkaart voor de tablet.

Wilt u een geheugenkaart verwijderen, dan mag de kaart op dat moment niet in gebruik zijn. Bovendien moet u de kaart afmelden bij Android. Dat doet u zo:

1. Open **Instellingen**.

2. Tik op **Opslag**.

3. Tik op **SD-kaart afmelden**.

Geheugenkaart
verwijderen of
formatteren? Dat
doet u bij de
instellingen.

4. U krijgt nu een dialoogvenster SD-kaart loskoppelen. Tik op de knop **OK**.

5. Open het klepje.

6. Duw de geheugenkaart iets verder naar binnen totdat de vergrendeling los-springt.

7. Verwijder de geheugenkaart.

8. Sluit het klepje.

Alleen op deze manier voorkomt u dat gegevens verloren gaan of dat de kaart wordt beschadigd.

Schrijfwijze   De eerste drie stappen zijn ook eenvoudig samen te vatten als: Tik op **Instellingen**, **Opslag**, **SD-kaart afmelden**. Deze kortere vorm zult u vaak in het boek tegenkomen.

Hebt u een geschikte geheugenkaart die eerder in een ander apparaat is gebruikt? Dan is het slim om de geheugenkaart in de tablet te laten formatteren. U vindt deze mogelijkheid bij **Instellingen**, **Opslag**, **SD-kaart formatteren**.

In het volgende hoofdstuk ontdekt u meer over het toetsenbord, het invoeren en bewerken van tekst.

3

Tekst invoeren en bewerken

Surfen op het wereldwijde web, chatten, een e-mailbericht versturen of een afspraak noteren in de agenda, voor al die zaken wilt u tekst invoeren en kunnen bewerken. En daarvoor hebt u een toetsenbord nodig, toch? Niet per se!

Toetsenbord

Zo op het eerste gezicht lijkt uw tablet een essentieel onderdeel te missen voor het invoeren van tekst: een toetsenbord. Uw tablet heeft geen echt toetsenbord, dat wil zeggen, geen toetsenbord met echte toetsen die u echt kunt indrukken en waarvan een geroutineerde typist onmiddellijk weet of een toets goed is aangeslagen en zelfs of er een typefout is gemaakt. Zo'n toetsenbord heeft uw tablet niet, want dat zou de tablet een stuk groter en zwaarder maken.

Virtueel toetsenbord

Uw tablet heeft een virtueel toetsenbord dat op het scherm verschijnt zodra u ergens tekst moet invoeren, bijvoorbeeld wanneer u op een tekstvak tikt. U hebt het schermtoetsenbord natuurlijk al ontdekt in het vorige hoofdstuk, bij het aanmelden bij uw Google-account. De indeling van het toetsenbord lijkt erg veel op de indeling van een gewoon toetsenbord, maar er zijn wel duidelijke verschillen.

Het virtuele toetsenbord lijkt op uw computertoetsenbord. Boven de toetsen staan suggesties om het woord te completeren dat nog getypt wordt.

Variaties   De indeling van het toetsenbord varieert afhankelijk van de app die u gebruikt. Bij het invoeren van een e-mailadres ziet u bijvoorbeeld een toets met het @-teken en een toets met .com, maar typt u het bericht, dan ontbreken deze toetsen.

Zo ontbreekt op een virtueel toetsenbord natuurlijk het gevoel dat u een toets hebt ingedrukt. Typen op een beeldscherm is – zeker voor geroutineerde tienvingertypisten – even wennen.

Liever echte toetsen?   Gebruikt u liever een gewoon toetsenbord, dan kan dat. Gebruik bijvoorbeeld een toetsenbord-dock of sluit een Bluetooth-toetsenbord aan.

Om tenminste enige feedback te krijgen, klikt de tablet als u een toets aanslaat. Vindt u dat vervelend? Open dan de instellingen en schakel het geluid uit. Dat kan rechtstreeks vanaf het toetsenbord.

1. Tik op de Opties-toets rechts van de ?123-toets (Sym-toets op de Note en Tab 3).

2. Tik op **Geavanceerd**.

De Opties-toets (tandwiel) staat links op de onderste rij toetsen. Tik erop en het venster Instellingen Samsung-toetsenbord verschijnt.

3. Schakel het selectievakje in achter de optie die u wilt inschakelen. Wilt u een optie uitschakelen, tik dan op het selectievakje zodat het vinkje verdwijnt.

Meer functies Op de Opties-toets ziet u bovenaan drie puntjes. Dat geeft aan dat er meer functies voor de toets beschikbaar zijn. Houd uw vinger op de toets totdat het venstertje met de andere functies verschijnt. De beschikbare functies staan op de onderste regel en dit zijn van links naar rechts **Spraakherkenning**, **Handschriftherkenning** en **Instellingen**. Tik op de gewenste functie om over te schakelen. U ziet aan het symbool op de Opties-toets welke functie de toets heeft.

Overschakelen naar spraak of handschriftherkenning?

Er zijn natuurlijk ook voordelen. Zo verschijnt het toetsenbord alleen wanneer het nodig is en het weegt niets, zodat uw tablet draagbaar blijft. En omdat het toetsenbord in feite gewoon een programma is, is het eenvoudig om de indeling en taal te wijzigen: Nederlands, Russisch, Frans of Engels is geen enkel probleem. Bij de instellingen hebt u dat zo voor elkaar, dat lukt u niet met een gewoon toetsenbord.

Internationaal

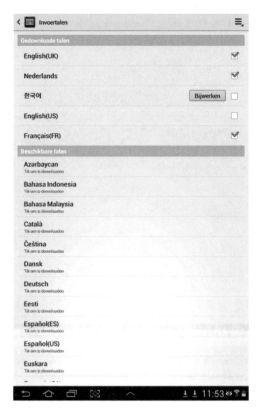

Wilt u een andere toetsenbordtaal of meer toetsenbord- talen gebruiken? Regel het bij de instellingen.

De spellingcontrole en tekstvoorspelling gebruiken de taal die op dat moment actief is. Correspondeert u regelmatig in andere talen, dan is het handig om die talen toe te voegen.

1. Houd uw vinger op de Opties-toets en kies **Instellingen**.

2. Tik op **Invoertalen**.

3. Tik op de taal die u wilt downloaden. De taal wordt in het bovenste vak toe- gevoegd. Herhaal deze stap als u meer talen wilt toevoegen.

4. Schakel het selectievakje in bij elke taal die u wilt gebruiken.

5. Tik op de knop **Terug**.

U ziet nu een nieuwe toets met een wereldbol op het toetsenbord. Tik hierop om van taal te wisselen. Of houd uw vinger op de knop en selecteer een taal uit de lijst.

 Actieve taal   Hebt u meer talen voor uw toetsenbord ingeschakeld, dan staat de naam van de actieve taal in de spatiebalk.

Tik op de wereld-
bol om naar de
volgende taal te
wisselen. De inde-
ling wisselt mee.

Als het toetsenbord zichtbaar is, ziet u in het meldingengebied een toetsenbordpictogram. Tikt u hierop, dan krijgt u de geïnstalleerde talen te zien en eventueel
extra geïnstalleerde toetsenborden.

■   Tik op een van de weergegeven talen of toetsenborden om daar naar over te
    schakelen.

Het toetsenbord-
pictogram in het
meldingengebied
geeft u ook toe-
gang tot de talen
en instellingen.

■   Tik op de knop met de regelaars achter een invoermethode als u de instellingen
    daarvan wilt aanpassen.

■   Tik op **Invoermethoden instellen** als u meer wijzigingen wilt aanbrengen.

AZERTY   Goed nieuws voor de Vlamingen onder ons. Stel bij **Instellingen**,
Taal en invoer de taal in op **Nederlands (België)**. Dan krijgt u standaard een
toetsenbord met AZERTY-indeling, maar met de Nederlandse spellingscontrole.

Toetsenbord gebruiken

Het standaardtoetsenbord van Samsung kent drie verschillende toetsenbord-indelingen: een voor cijfers en letters en twee voor leestekens en symbolen. U sluit het toetsenbord met een tik op de knop **Verbergen** (het alter ego van de knop **Vorige**) links onder het toetsenbord. Wat u verder nog moet weten:

- **Wistoets** Tik op de toets met het kruisje om het teken links van de cursor te wissen. Houdt u uw vinger op deze toets, dan wist u sneller.

- **Hoofdletters** Tik op de Shift-toets, dan kleurt de pijl in de Shift-toets blauw en de volgende letter die u typt is een hoofdletter. Aan het begin van een nieuwe zin krijgt u automatisch een hoofdletter – tenzij u de optie **Automatische hoofdletters** uitschakelt bij de toetsenbordinstellingen (**Geavanceerd**).

- **Caps Lock** Dubbeltik op de Shift-toets, de toets kleurt blauw en de pijl zwart. Alle letters die u nu typt, zijn hoofdletters totdat u de functie uitschakelt. Tik opnieuw op de Shift-toets om de functie Caps Lock uit te schakelen.

- **Leestekens en symbolen** De belangrijkste leestekens en symbolen hebben hun eigen toetsenbord, u krijgt deze te zien als u op de ?123-toets of de Sym-toets tikt. Tik op de 1/2-toets om meer leestekens en symbolen te onthul-

De drie toetsenbordindelingen van het toetsenbord. U wisselt tussen de indelingen met de ?123-, ABC- en 1/2-toets. Op de Note heeft de ?123-toets het opschrift Sym.

len, het opschrift van de toets verandert dan in 2/2. Met de ABC-toets keert u terug naar de indeling met letters en cijfers.

■ **Klembord** De Klembord-toets uiterst rechts op de onderste rij opent het klembord. Hier beheert u de inhoud van het klembord, u kunt de verschillende items op het klembord opslaan of verwijderen.

■ **Diakritische tekens** Letters met accenten lijken helemaal te ontbreken, maar dat is schijn. Houd uw vinger op de bijbehorende letter en de variaties met accenten komen tevoorschijn. Ziet u een blauwe markering om een variant en haalt u dan uw vinger van het scherm, dan verschijnt deze variant in de tekst. Wilt u een andere variant hebben, schuif dan met uw vinger naar het gewenste accentteken, de blauwe markering schuift mee. Is het gewenste teken gemarkeerd, laat dan de toets los.

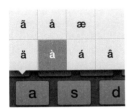

Wilt u een accentteken invoegen? Houd uw vinger op de toets en schuif naar het gewenste teken.

Extra tekens U hebt ze vast al gezien, de lichtgrijze tekens in de rechterbovenhoek van sommige toetsen. U typt zo'n teken met de Shift-toets. Houd uw vinger op de Punt-toets, dan krijgt u meer mogelijkheden te zijn. Met de knop **Sym** schakelt u over naar het toetsenbord met leestekens en symbolen.

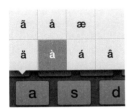

De lichtgrijze tekens typt de Shift-toets. U kunt ook uw vinger op de toets houden en een keuze maken.

Het toetsenbord neemt een flinke hoeveelheid plaats in op het scherm en dat is niet altijd even handig. Voert u een lange tekst in, dan raakt u wellicht het overzicht kwijt. In dat geval is het handig om het toetsenbord te splitsen. Zet twee vingers op het toetsenbord en breng ze naar elkaar toe. U ziet nu drie miniatuurtjes. Tik op een miniatuurtje om over te schakelen.

Splitsen en verplaatsen

■ **QWERTY-toetsenbord** Het toetsenbord zoals u het tot nu toe hebt gebruikt. Hiermee keert u terug naar het standaardtoetsenbord.

■ **Zwevend** Het toetsenbord is wat kleiner en u kunt het over het scherm verplaatsen. Zet twee vingers op het toetsenbord en sleep het naar de gewenste plaats op het scherm.

Knijp op het toetsenbord en tik op het miniatuurtje van uw keuze.

Het zwevende toetsenbord.

- **Splitsen** Het toetsenbord bestaat nu uit twee stukken en het dekt niet langer de tekst af, zodat u de hele tekst kunt lezen en toch gewoon kunt typen. Dit is ideaal als u formulieren moet invullen of bij langere teksten. Ook het gesplitste toetsenbord kunt u verplaatsen. Zet twee vingers tegelijk op het toetsenbord en sleep het toetsenbord omhoog of omlaag totdat het op de gewenste positie staat.

Een gesplitst toet-
senbord laat
ruimte om veel
meer van de tekst
te lezen.

Voorspellende tekst

Het is handig om de functie Voorspellende tekst in te schakelen, dan krijgt u tijdens
het typen suggesties en bespaart u zichzelf heel wat typewerk. De suggesties komen
uit de woordenboeken van de geïnstalleerde talen en van wat de tablet al heeft
geleerd van de teksten die u typt. Terwijl u typt verschijnen woorden in de suggestiebalk. Deze woorden vullen de getypte letters aan of passen bij het voorgaande
woord.

1. Tik op de Opties-toets (**Instellingen**).

2. Tik op **Instellingen Samsung-toetsenbord**.

3. Tik op **Voorspellende tekst**.

4. Schakel de functie in met de schakelaar.

5. Tik op **Voorspellende tekst** om de instellingen van de functie aan te passen.

De woordsugges-
ties staan in de
balk boven het
toetsenbord zelfs
nog voordat u iets
hebt getypt.

Deze functie leert van de teksten die u schrijft. U geeft bij de instellingen op of deze functie ook mag leren van de teksten die u schrijft op Facebook, Twitter en Gmail. De gegevens worden opgeslagen op de personalisatieserver. Wilt u hier meer over weten, tik dan op de link **Privacybeleid** onder **Privacy**.

De suggesties verschijnen in een balk boven het toetsenbord, soms zelfs voordat u een letter hebt getypt. Staat het woord dat u wilt typen in de balk, tik er dan op om het in te voegen. Tik op de knop met het blauwe pijltje omlaag om meer suggesties te zien.

Snel tekst invoeren met de functie Voorspellende tekst. Tik op de knop rechts om meer of minder suggesties te zien.

Doorlopende invoer

Een mooie aanvulling op de functie **Voorspellende tekst** is de optie **Doorlopende invoer**. Hebt u deze optie ingeschakeld, dan hoeft u niet meer letter voor letter te typen. U sleept uw vinger over het toetsenbord van letter naar letter, daarbij laat u een blauw spoor na. Zodra u uw vinger van het scherm tilt, verschijnt het woord in de tekst en alternatieven in de suggestiebalk. Staat het juiste woord niet in de tekst? Tik dan op de juiste suggestie, dan wordt het woord in de tekst vervangen.

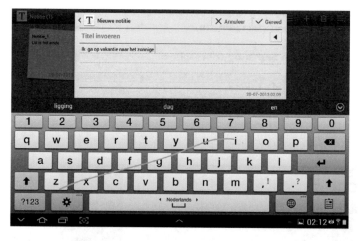

Op weg naar het zuiden. Sleep uw vinger over de letters van het woord – zuiden – en het blauwe spoor toont het pad. De tekst verschijnt zodra u uw vinger van het scherm tilt.

Doorlopende invoer is vooral bekend van de Swype-toetsenborden voor Android. Met de komst van Jelly Bean is dit voor alle Android-toetsenborden beschikbaar. Het werkt erg snel en gemakkelijk. U schakelt deze optie in bij de instellingen van het toetsenbord.

Niet gesplitst   Bij een gesplitst toetsenbord werkt de doorlopende invoer niet, maar wel bij een zwevend toetsenbord.

Tekst bewerken

Af en toe maakt u een typefout. Geen probleem, tik op de fout en verbeter de tekst, net zoals op de computer. Toch een probleem, want het is lastig om precies op de fout te tikken. Gelukkig heeft uw tablet daar een handigheidje voor. Tik op de tekst in de buurt van de fout, de cursor verschijnt in de tekst. Onder de cursor ziet u een tab, deze tab kunt u met uw vinger verslepen naar de plaats waar u de cursor wilt hebben. Zo kunt u de cursor nauwkeurig verplaatsen. In de suggestiebalk ziet u in welk woord de cursor staat, samen met suggesties. Tik op een suggestie om het woord met de cursor te vervangen door de suggestie.

De cursor kunt u makkelijk verslepen met de grote tab.

Actiebalk In de meeste apps ziet u bovenaan de actiebalk. Hier vindt u de knoppen die u op dat moment kunt gebruiken voor het uitvoeren van de taak waarmee u bezig bent. Dit zijn zogenoemde contextgevoelige knoppen, dus u ziet verschillende knoppen voor verschillende taken. Als niet alle knoppen bovenin passen, ziet u de minder belangrijke knoppen meestal onder aan het scherm. In de bovenste actiebalk ziet u links het pictogram van de app met een pijltje naar links. Dit is de knop **Omhoog**. Daarmee keert u terug naar het vorige scherm of niveau in de app. De knop **Menu** helemaal rechts opent het menu met instellingen en help.

Actiebalk van Gmail als u een bericht schrijft (boven) en tijdens het selecteren van tekst (onder).

Op de plaats van de cursor typt u nu tekst of u gebruikt de wistoets om tekens links van de cursor te wissen. Had u eerder al tekst geknipt of gekopieerd? Dan ziet u ook de knop **Plakken**. Tik hierop om de inhoud van het klembord op de plaats van de cursor te plakken.

Wanneer u tekst knipt of kopieert, komt deze in het klembord terecht. Ook afbeeldingen kunt u op het klembord opslaan. Het klembord is een stuk gereserveerd geheugen waarin u gegevens tijdelijk opslaat. Het klembord bewaart de laatste twintig items. Tikt u op de knop **Plakken**, dan plakt u de laatst toegevoegde inhoud van het klembord op de plaats van de cursor. Met de Klembord-toets kunt u eerder opgeslagen items van het klembord bekijken, opslaan en invoegen. Op het klembord treft u afbeeldingen en stukjes tekst aan. En dit kunt u ermee:

Klembord

- Tik op een stukje tekst of een afbeelding om het op de plaats van de cursor in te voegen.

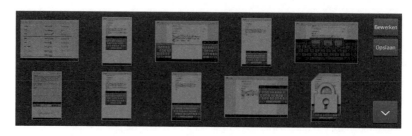

Het klembord met opgeslagen teksten en afbeeldingen. Het item uiterst rechts is vergrendeld.

▪ Tik op de knop **Opslaan** als u een item wilt bewaren en tik bij dat item op de knop met de diskette.

  ▪ Slaat u een stukje tekst van het klembord op, dan vindt u dat terug als notitie.

  ▪ Bewaart u een afbeelding van het klembord, dan komt dat terecht in het album Clipboard.

▪ Wilt u de items op het klembord bewerken, tik dan op de knop **Bewerken**. Alle items op het klembord krijgen nu twee knoppen.

  ▪ Als het klembord vol is, wordt het oudste item van het klembord vervangen. Hebt u veelgebruikte stukken tekst op het klembord staan, zodat u ze snel kunt invoegen? Tik dan op de knop met het hangslot bij die items, dan blijven ze op het klembord staan.

  ▪ U verwijdert items van het klembord met een tik op de knop met de vuilnisbak.

  ▪ Tik op de knop **Gereed** als u klaar bent.

Met de knop **Sluiten** (pijl omlaag) sluit u het klembord.

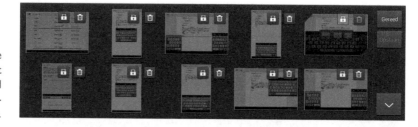

Laat veelgebruikte items permanent op het klembord staan met de hangslotknop.

Tekst selecteren

U selecteert tekst die u wilt knippen, kopiëren, verwijderen of vervangen. Het selecteren van tekst is ook eenvoudig. Houd uw vinger op de tekst die u wilt selecteren. De tekst wordt gemarkeerd en aan elk uiteinde van de selectie staat een tab. Sleep met die tabs om de selectie groter of kleiner te maken.

▪ Wilt u alle tekst selecteren, tik dan in de actiebalk op de knop **Alles selecteren**.

▪ U heft de selectie op met een tik buiten de selectie, de markering verdwijnt.

Hoe gaat het met jou en met de familie? Hier gaat het prima.

Houd uw vinger op de tekst die u wilt selecteren en versleep de tabs aan de uiteinden van de selectie.

- Gebruik de knoppen **Knippen** en **Kopiëren** rechtsboven in de balk om de selectie op het klembord te zetten. Met **Knippen** verwijdert u de selectie uit de tekst, bij **Kopiëren** blijft de selectie op de oorspronkelijke plaats staan.

- Met de knop **Plakken** vervangt u de selectie door de inhoud van het klembord. Standaard is dat de laatst toegevoegde tekst. Gebruik de Klembord-toets als u een andere tekst van het klembord wilt gebruiken.

- Gebruik de wistoets (van het toetsenbord) als u de geselecteerde tekst wilt verwijderen, de selectie komt nu niet op het klembord.

- Wilt u de selectie vervangen door nieuwe tekst, begin dan gewoon te typen. U hoeft niet eerst de tekst te verwijderen.

Tekst inspreken

U hebt vast de knop met de microfoon al ontdekt bij de mogelijkheden van de Opties-toets. Daarmee schakelt u de functie **Spraakherkenning** in, daarmee spreekt u de tekst uit in plaats van typen. Net als voor het toetsenbord, hebt u ook hier de beschikking over verschillende talen. Het werkt, maar u mag er geen wonderen van verwachten, zeker niet in een rumoerige omgeving.

1. Houd uw vinger op de Opties-toets en tik op de knop **Spraakherkenning** (met de microfoon).

2. Als het venster **Nu spreken** verschijnt, spreekt u de tekst in.

3. Zodra u pauzeert, wordt de spraak omgezet in tekst.

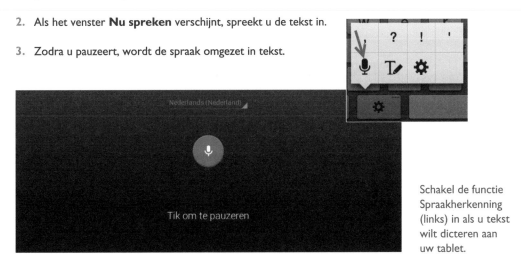

Schakel de functie Spraakherkenning (links) in als u tekst wilt dicteren aan uw tablet.

Als u even niets zegt, dan schakelt de microfoon uit. Tik op de microfoon als u verder wilt dicteren. U kunt zelf ook de microfoon tijdens het dicteren uitschakelen met een tik op de microfoon.

Als de microfoon is uitgeschakeld, verschijnt een knop met het toetsenbord. Tik daarop als u tekens wilt invoegen met het toetsenbord.

 Taal Wilt u van taal wisselen, tik dan op de knop met de taal boven de microfoon en tik op de gewenste taal. Staat de taal van uw keuze er niet bij, tik dan op de optie **Meer talen toevoegen**. Daarmee opent u de instellingen. U ziet dat de optie **Automatisch** is ingeschakeld. De resultaten daarvan zijn minder goed, dus schakel de optie **Automatisch** uit. Nu schakelt u de selectievakjes in van de talen die u wilt gebruiken.

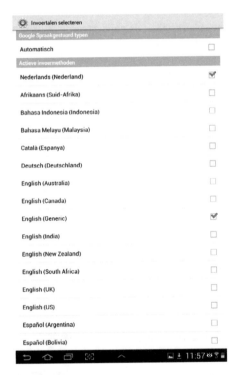

Selecteer de gewenste talen voor spraakherkenning.

 Leestekens Dicteert u een tekst, dan voegt u een leesteken in door de naam van het leesteken uit te spreken, bijvoorbeeld *punt* of *uitroepteken*. Jammer genoeg werkt dat niet in het Nederlands. De tekst punt, komma of uitroepteken wordt keurig ingevoegd in de tekst, maar dat was niet de bedoeling. Leestekens zult u dus zelf met het toetsenbord moeten invoeren.
Gebruikt u de Engelstalige spraakherkenning, dan werkt het voortreffelijk. Zegt u *period*, *comma* of *exclamation mark*, dan wordt het bijbehorende leesteken in de tekst gezet. Dat biedt de mogelijkheid om tijdens het dicteren van taal te wisselen om leestekens in te voeren. Dat is niet ideaal, maar het werkt wel en het is sneller dan achteraf de leestekens toevoegen.

Schakelt u de microfoon uit, dan kunt u het toetsenbord activeren om bijvoorbeeld een leesteken in te voegen. En vergeet de spatie erachter niet...

Hoe gaat het met jou en met de familie? Hier gaat het prima.
En nu een stukje dicteren. Wel jammer dat je zelf de leestekens moet typen,
wat dat snapt de nederlandse spraakherkenning nog niet.
En nog een stukje gedicteerd, ditmaal ontsteking te bekijken punt
Nou dat lijkt wel dik there is oo
Groetjes,

    ondertekend

    een longontsteking te

Henny   een ontsteking

    ✕ Wissen

Ingesproken tekst is onderstreept. Tik op de onderstreepte tekst om wijzigingen aan te brengen of de tekst te wissen.

De ingesproken tekst kunt u op dezelfde manier bewerken als getypte tekst. Tik op een onderstreept woord. U ziet nu alternatieven en de optie **Wissen**. Uiteraard kunt u deze tekst ook selecteren en hebt u dezelfde mogelijkheden als met tekst die u via het toetsenbord hebt ingevoerd.

Handschrift

U bent niet dol op typen en hardop tegen uw tablet te praten is ook niet altijd ideaal, zeker niet in gezelschap of een rumoerige omgeving. Wel, dan schrijft u toch gewoon uw tekst op de tablet. Hebt u een Galaxy Note, dan gebruikt u daar de S Pen voor en op de Galaxy Tab schrijft u met uw vinger. Zolang u geen balpen, potlood of ander scherp voorwerp gebruikt waarmee u het scherm zou kunnen beschadigen, kunt u gewoon op uw tablet schrijven. Uw tablet werkt met hand-

Schakel handschriftherkenning in en schrijf met uw vinger op uw tablet.

schriftherkenning, in de suggestiebalk verschijnen mogelijke woorden tijdens het schrijven. Ook hier geldt: staat het bedoelde woord erbij, tik er dan op.

1. Houd uw vinger op de Opties-toets en tik op de knop **Handschriftherkenning** (met de pen). Daarmee opent u een apart venster waarin u kunt schrijven.

2. U kunt losse letters schrijven of aaneengesloten schrift gebruiken. Gebruikt u losse letters, zet ze dan dicht bij elkaar, zodat duidelijk is dat ze bij elkaar horen. Schrijf geen overlappende letters.

3. Zodra u uw vinger of pen van het scherm tilt, wordt het geschrevene omgezet in tekst.

Bovenaan het venster ziet u de suggestiebalk, het eerste woord is blauw en dit wordt ingevoegd in de tekst. Tik op een andere suggestie als u het woord in de tekst door die suggestie wilt vervangen. Daaronder ziet u een aantal knoppen.

◼ **?#+** Hiermee opent u een venster met cijfers, leestekens, symbolen en emoticons. Tik op een teken om het in te voegen. Met de knop **1/3** wisselt u naar het volgende venster. U sluit het venster met de knop met het kruisje.

◼ **Toetsenbord** Dit is de knop **Opties**. Tik erop om het toetsenbord tevoorschijn te roepen. Houd uw vinger even op deze knop en kunt u wisselen naar **Spraakherkenning**, **Toetsenbord** of **Instellingen**.

◼ **123 of ABC** Tik op deze knop als u cijfers wilt schrijven, dan interpreteert de tablet wat u schrijft als cijfers. De knop krijgt dan het opschrift ABC en tikt u daarop, dan wisselt u weer naar tekstinvoer.

◼ **Spatiebalk** Snel een spatie invoegen met de spatiebalk of schrijf een liggend streepje naar rechts om een spatie in te voegen.

◼ **Wissen** Wis het teken links van de cursor of schrijf een liggend streepje naar links om hetzelfde te bereiken.

◼ **Enter** Begin op een nieuwe regel met deze knop of teken in één beweging een streep omlaag en dan naar links. Dat is in principe het teken op de knop, maar dan zonder de pijlpunt.

◼ **Talen** U wisselt van taal met een tik op de wereldbol, precies zoals bij het gebruik van het toetsenbord.

Met de eerste knop voegt u snel leestekens, emoticons en andere symbolen toe.

■ **Klembord**   Met deze knop opent u het klembord als u een item van het klembord wilt invoegen.

Wilt u de geschreven tekst corrigeren voordat het wordt opgenomen in uw tekst? Open dan de instellingen van het toetsenbord en tik op **Handschrift**, **Herkenningstype**. Schakel de optie **Volledige herkenning** in. Nu worden herkende woorden in het tekstvenster getoond en kunt u deze corrigeren. U gebruikt daarvoor de drie gebaren die u hiervoor al hebt ontdekt, namelijk de spatie, een teken wissen en de regelomhaal (Enter) en u hebt twee extra gebaren. Vervang een verkeerde letter in een herkend woord door de juiste letter er overheen te schrijven. En teken een verbindingsboogje onder twee woorddelen om een overtollige spatie te verwijderen. U kunt nu ook meer tekens tegelijk doorstrepen om ze te verwijderen. Bent u tevreden, tik dan op de groene knop **Enter** of teken de regelomhaal om de woorden in de tekst op te nemen.

Gebaren

Handschriftherkenning in de modus Volledige herkenning. De vette tekst is herkend. Fouten kunt u direct corrigeren.

Uw tablet biedt u ook hulp bij de gebaren en handschriftherkenning. Open de instellingen van het toetsenbord en tik op **Handschrift**, **Gebarenhandleiding**. U ziet welke gebaren u kunt gebruiken. Tik op **Handschrift**, **Zelfstudie** als uw handschrift niet goed wordt herkend. Hier wordt uitgelegd hoe u de beste resultaten bereikt.

S Pen

De Galaxy Note heeft een S Pen die in een speciale sleuf in de tablet is opgeslagen. Met de S Pen schrijft u op het scherm, maar u hebt meer mogelijkheden. Alle gebaren die u op het scherm met één vinger kunt maken, kunt u ook uitvoeren met de S Pen. Dus tikt u op een pictogram, dan opent u de bijbehorende app. Of zet de pen op een pictogram en sleep het pictogram naar een nieuwe plaats op het startscherm of in een map. Daarnaast gebruikt u de S Pen om op uw tablet te tekenen en te schrijven.

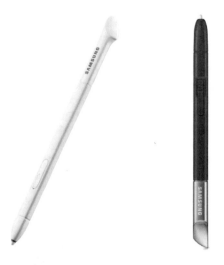

De S Pen heeft een knop die u extra functies geeft. Op de afbeelding links de S Pen van de Galaxy Note 8.0, rechts de S Pen van de Galaxy Note 10.1.

Modellen S Pen   De verschillende Galaxy Note-tablets hebben elk een eigen pen. Behalve het verschil in kleur, past de pen ook niet in de sleuf van een ander model tablet. Een ander verschil is dat de S Pen van de Galaxy Note 10.1 een ver-wisselbare punt heeft die u kunt verwisselen met het bijbehorende gereedschapje. De S Pen van de Note 8.0 zult u in zijn geheel moeten vervangen als de punt versle-ten is.

Schuift u de S Pen uit de sleuf, dan hoort u een geluid en krijgt u een werkbalk met apps voor de S Pen te zien. De pen is nu klaar voor gebruik. Natuurlijk kent de S Pen een paar extra kunstjes, zoals Air View en opdrachten met de knop ingedrukt.

Rechts in beeld: de werkbalk met apps voor de S Pen.

De functie Air View is standaard ingeschakeld.

■ Air View   Deze functie toont een aanwijzer op het scherm als u de S Pen boven het scherm houdt. U beweegt de aanwijzer met de pen naar objecten op het scherm. U schakelt deze functie in bij **Instellingen**, **S Pen**, **Penmenu**.

   ■ Houdt u de pen boven een knop, dan verschijnt een label dat u meer vertelt over de functies.

   ■ Rust de aanwijzer op een map of fotoalbum, dan ziet u de inhoud.

   ■ Beweeg de aanwijzer naar de rand van het venster (links, rechts, onder of boven) om naar een volgend scherm te bladeren. Dit werkt ook als u door een lijst wilt bladeren of als u foto's bekijkt.

Pagina-buddy   Op de Note 8.0 opent de Pagina-buddy een speciaal startscherm met de app S Note. De Pagina-buddy reageert op drie gebeurtenissen met een speciaal startscherm, namelijk als u de S Pen uit de sleuf schuift, als u een koptelefoon aansluit of als u de tablet in een dock plaatst. U herkent het speciale startscherm aan het pictogram rechts naast de punten voor de verschillende startschermen. Bent u hier niet zo weg van, dan past u deze functie aan bij **Instellingen**, **Display**, **Pagina-buddy**. Met de schakelaar zet u de functie aan of uit. Tik op **Pagina-buddy** als u wilt aanpassen op welke gebeurtenissen Pagina-buddy moet reageren.

Het startscherm voor de S Pen op de Galaxy Note 8.0.

■ S Pen met ingedrukte knop   De S Pen is voorzien van een knop, houd deze ingedrukt voor extra mogelijkheden.

   ■ Houd de knop ingedrukt en dubbeltik op het scherm, daarmee opent u **Popup Note**. Dit is een miniversie van S Note, waarbij u in een venster snel een notitie kunt maken. Tik op de knop linksboven in het venster om de app S Note te openen.

   ■ Druk op de knop van de S Pen en sleep de pen over de tekst die u wilt selecteren.

Snelle notitie op het startscherm.

■ Houd de knop van de S Pen ingedrukt en houd de pen op het scherm om een schermafbeelding te maken. De afbeelding wordt meteen geopend en u kunt erop tekenen of schrijven en eventueel de afbeelding bijsnijden. Een niet-bewerkte afbeelding wordt opgeslagen in het album Screenshots, hebt u de afbeelding bewerkt, dan vindt u deze terug in het album IMG_edited.

■ Houd de knop van de S Pen ingedrukt en teken een lijn om een gedeelte van het scherm. Het omlijnde gedeelte wordt opgeslagen in het album Screenshots. Direct nadat u het gebied hebt omlijnd, ziet u aan de onderkant van het scherm een balk met de pictogrammen van apps waarmee u de afbeelding kunt gebruiken. Veeg naar links of naar rechts over de pictogrammen om ze allemaal te bekijken. Tik op een pictogram om de app te openen. Wilt u de afbeelding later bewerken, tik dan op het de sluitknop met het kruis naast de afbeelding. Doet u niets, dan verdwijnen de afbeelding en de apps even later uit beeld.

Teken een lijn om het gedeelte van het scherm dat u wilt vastleggen en kies een app waarmee u het resultaat wilt bewerken.

■ Teken met ingedrukte knop het teken < op het scherm, daarmee gaat u terug naar het vorige scherm.

■ Teken met ingedrukte knop het teken ^ op het scherm, zo opent u een menu met beschikbare opties.

■ Sleep de S Pen met ingedrukte knop omhoog over het scherm, u opent zo het venster Quick Command. Schrijf dan het teken in het venster om de toegewezen app of functie te starten.

Help voor S Pen > Gebaar

Ga terug

Als u naar het vorige scherm wilt gaan, tekent u een kleiner dan-pijl (<) terwijl u op de penknop drukt

Menu openen

Bij de instellingen voor de S Pen vindt u ook hulp. Bij het onderdeel Gebaar ziet u hoe u opdrachten op het scherm tekent.

Een Quick Command of snelle opdracht is een snelle manier om een app te openen of een vooraf gedefinieerde taak uit te voeren. Er zijn drie of vijf vooraf gedefinieerde snelle opdrachten die u op het scherm schrijft met de pen.

Snelle opdrachten

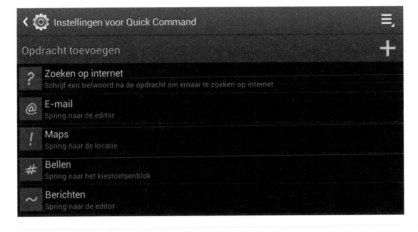

De snelle opdrachten vindt u bij de Instellingen, S Pen, Instellingen voor Quick Command.

Op een tablet zonder telefoonfunctie zijn dat:

- ? *zoekterm*   Schrijf een vraagteken in het venster, eventueel met een zoekterm. Daarmee start u een zoekactie naar de geschreven zoekterm op internet.

- @ *naam*   Schrijf een @-teken in het venster, eventueel met de naam van een contactpersoon. Zo start u een nieuw e-mailbericht gericht aan deze persoon.

- ! *locatie*   Schrijf een uitroepteken in het venster, eventueel gevolgd door een locatie of andere zoekterm. Dan start de app Maps met een zoekactie naar de geschreven locatie. Dat laatste werkt niet altijd goed op de Note 8.0, dus dan is het slimmer om alleen het uitroepteken in het vak te tekenen en daarna de zoekterm op te geven.

Het venster Quick Command met onderin de vijf voorgedefinieerde opdrachten. Heeft uw tablet geen telefoonfunctie, dan ontbreken de laatste twee opdrachten.

Is de telefoonfunctie wel aanwezig, dan zijn nog twee opdrachten beschikbaar:

- **#** *naam*   Schrijf het #-teken en de naam van een contactpersoon in het venster. Daarmee opent u de app Telefoon en start u een oproep met deze contactpersoon.

- **~** *naam*   Schrijf het ~-teken in het venster, eventueel gevolgd door de naam van een contactpersoon. Hiermee start u een nieuw bericht aan deze contact-persoon.

U kunt ook zelf nieuwe snelle opdrachten toevoegen en bestaande opdrachten wij-zigen. Dat kan direct vanuit het venster Quick Command:

1. Tik op de knop **Instellingen** (tandwiel).

2. Tik op de knop **Toevoegen** (plus).

3. Tik op **Applicatie selecteren** of op **Functies/inst. selecteren**.

4. Selecteer de applicatie of functie die u wilt toevoegen.

5. Teken een symbool voor het nieuwe Quick Command in het vak.

6. Tik op de knop **Gereed**.

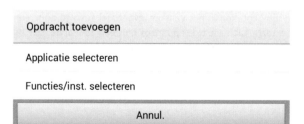

Voeg een Quick Command toe.

De nieuwe opdracht staat nu ook in de lijst bij **Instellingen**, **S Pen**, **Instellingen voor Quick Command**. U vindt de nieuwe opdracht niet terug in het venster Quick Command.

Wilt u de snelle opdrachten wijzigen, tik dan op de opdracht die u wilt aanpassen. U kunt het opdrachtgebaar wijzigen, tik in het vak en teken een nieuw symbool. Met een tik op de knop rechts reset u het opdrachtgebaar. Tik op de knop **Gereed** als de opdracht naar wens is.

Verander het teken voor een snelle opdracht in het vak.

U kunt ook een gebaar wissen. Tik dan op de knop **Wissen** (de prullenbak) en schakel de selectievakjes in van de opdrachten die u wilt verwijderen en tik op de knop **Wissen** rechtsboven om de opdrachten te wissen.

Schakel het selectievakje in als u een Quick Command wilt verwijderen.

Een andere nuttige instelling voor de S Pen is de optie **Popup Note openen** wanneer de pen is losgekoppeld. Daarmee opent u deze toepassing telkens als u de pen uit de sleuf haalt. Ook de laatste optie bij deze instellingen – **Help voor S Pen** – is handig, want hier ziet u snel de verschillende gebaren die u met de S Pen kunt gebruiken.

4

Online

Een internetverbinding is eigenlijk een must voor uw tablet. Niet voor niets maakt u al verbinding met internet tijdens de eerste start. U gebruikt uw internetverbinding niet alleen om te surfen, maar ook voor uw mail, Google Maps en navigatie, YouTube, Samsung Link en nog veel meer. Ontdek in dit hoofdstuk de mogelijkheden van de apps Internet en Dropbox.

Netwerk

Voordat u over het wereldwijde web kunt surfen, hebt u toegang nodig tot internet. Zonder verbinding met internet gaat het feest niet door. Als het goed is, hebt u
zo'n verbinding al tijdens de eerste start van de tablet ingesteld. Mocht u dat nog
niet gedaan hebben, dan is dit een goed moment.

Verbinden met een Wi-Fi-netwerk in het kort:

1. Open het meldingenvenster.

2. Schakel de knop **Wi-Fi** in. U ziet een lijst met Wi-Fi-netwerken die binnen
   bereik zijn.

   ■ Of tik op **Instellingen** en schakel de optie **Wi-Fi** in.

3. Tik op de naam van uw netwerk en voer het beveiligingswachtwoord in.

4. Tik op de knop **Verbinden**.

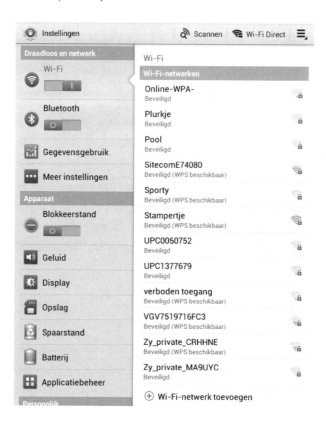

Rechts staan de
Wi-Fi-netwerken
binnen bereik, tik
op uw netwerk om
een verbinding tot
stand te brengen.

Verborgen netwerk Staat uw netwerk niet in de lijst, maar bent u wel binnen bereik? Niet ieder netwerk zendt zijn naam uit. In dat geval moet u het netwerk zelf toevoegen. Tik dan op de knop **Wi-Fi-netwerk toevoegen**. Typ de naam van het netwerk in het vak **Netwerk-SSID**. Tik op het vak **Beveiliging** selecteer de ingestelde beveiliging van het netwerk. Typ het wachtwoord in het vak **Wachtwoord** en tik op de knop **Opslaan**. Nu zou de verbinding met het netwerk tot stand moeten komen.

Als u geen Wi-Fi-netwerk tot uw beschikking hebt, maar uw tablet is voorzien van een simkaart, dan kunt u een internetverbinding tot stand brengen met het mobiele datanetwerk. Nu kunt u de online wereld ontdekken met uw tablet.

Mobiele netwerk Als het goed is, hebt u de juiste instellingen al van uw netwerkprovider ontvangen. Hebt u problemen met de verbinding terwijl er wel bereik is? Controleer dan bij **Instellingen**, **Mobiele netwerken** of de optie **Mobiele gegevens** wel is ingeschakeld. En controleer ook of bij de optie **Namen toegangspunten** de juiste gegevens voor uw provider zijn ingevuld.

< ⚙ Mobiele netwerken

Mobiele gegevens ☑
Gegevenstoegang via mobiel netwerk inschakelen

Roaming ☐
Verbinden met gegevensservices bij roaming

Namen toegangspunten

Netwerkmodus ⊙
GSM/WCDMA (auto-stand)

Netwerkoperators
Netwerkoperator selecteren

Krijgt u geen verbinding met het mobiele netwerk, controleer dan de instellingen.

Internet

U kunt de app Internet op verschillende manieren openen, afhankelijk van hoe u uw tablet hebt ingericht:

▪ Staat de app Internet als snelkoppeling op het startscherm, dan tikt u op het pictogram.

▪ Hebt u een widget op het startscherm met bladwijzers, dan tikt u op de bladwijzer die u wilt openen en Internet opent met die pagina.

▪ Gebruik anders de standaardmanier: tik op de knop **Apps** en dan op het pictogram van Internet.

Deze widget herbergt bladwijzers.
Veeg naar boven over de widget om de rest van de bladwijzers te zien.

Meer browsers? Kies welke u wilt gebruiken.

Link Tikt u in een ander programma op een link naar een webadres, dan opent Internet automatisch om de webpagina te tonen. Hebt u naast Internet nog een andere browser geïnstalleerd, zoals Chrome, dan vraagt uw tablet welke browser u wilt gebruiken en of dat eenmalig is of altijd. Kiest u voor eenmalig, dan krijgt u de volgende keer deze vraag weer te zien.

Internet opent met de pagina die u het laatst hebt bezocht. De gebruikelijke vinger-bewegingen werken ook in Internet. U scrolt met een veeg over de pagina; wilt u zoomen, dan knijpt of dubbeltikt u op het gedeelte dat u wilt vergroten of verklei-nen. Knijpt u om te vergroten of te verkleinen, dan gaat dat traploos. Dubbeltikt u op een kolom of tekst, dan wordt de kolom of tekst passend op het scherm gezet indien u bij de instellingen de optie **Pagina's passend maken** hebt ingeschakeld.

Flash Veel websites gebruiken nog steeds Flash voor animaties, video's, reclame en spelletjes. Om dit materiaal te kunnen bekijken, hebt u de Adobe Flash Player nodig. Deze is niet op uw tablet geïnstalleerd en Adobe is in augustus 2012 gestopt met de ondersteuning van Flash voor Android. Er wordt wel een aantal alternatieve Flash Players in de Play Store aangeboden. Wilt u iets bekijken waarvoor de Flash Player echt nodig is, dan krijgt u een melding dat de Flash Player ontbreekt. U kunt dan een geschikte app uit de Play Store installeren.

Bediening

De interface van Internet lijkt sprekend op die van Google Chrome. Dat is natuur-lijk niet zo gek, want beide zijn afkomstig van Google. Gebruikt u Chrome op uw computer, dan zal Internet weinig geheimen voor u hebben en voelt u zich meteen helemaal thuis. Op de Tab 3 en de Note 8.0 staan beide browsers. Hebt u een andere tablet en wilt u Chrome ook gebruiken, dan kunt u deze app natuurlijk in de Play Store downloaden. Bovenaan ziet u de tabs, daaronder de actiebalk en daar-onder de webpagina. Op de webpagina veegt u om door de pagina te scrollen en u navigeert met tikken op de knoppen in de actiebalk en (hyper)links op de pagina zelf.

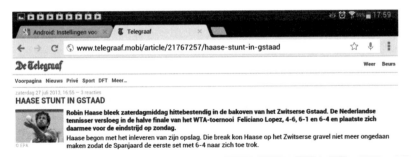

Boven de app Internet op de Galaxy Tab 2, daaronder de app Chrome op de Galaxy Note 8.0. De verschillen zijn klein.

Waar gaat dat naartoe? Wilt u weten waar een link u brengt of wilt u deze op een nieuwe tab openen? Houd dan uw vinger op de link tot een pop-upvenster ver-schijnt. Bovenaan ziet u het webadres, daaronder staan de opties **Openen**, **Ope-nen in nieuw venster**, **Koppeling opslaan**, **URL kopiëren** en **Tekst selecte-ren**.

Internet opent een webpagina op een tabblad. Hebt u meer dan één pagina ge-opend, dan ziet u alleen het actieve tabblad. Van de andere tabbladen ziet u alleen de tabs boven aan het scherm. De actieve tab is donkerder gekleurd en de tekst is vetgemaakt. De niet-actieve tabs zijn lichter en gedimd.

Tabs

- Op de actieve tab ziet u rechts de knop **Sluiten** (het kruisje). Tik hierop als u de tab wilt sluiten.

Internet met vijf tabbladen. De actieve tab is donkerder en heeft de nadruk, de niet-actieve tabs zijn gedimd.

■ Rechts naast de laatste tab ziet u de knop **Toevoegen**. Daarmee opent u een nieuw tabblad met uw startpagina.

■ Tik op een tab als u het tabblad met de bijbehorende webpagina wilt bekijken. Zo kunt u snel tussen de pagina's wisselen.

Tabs   U ziet maximaal drie tabs (portretstand) of zes tabs (liggend) tegelijk in beeld. U kunt echter veel meer tabbladen openen. Veeg horizontaal over de tabs (naar links of naar rechts) om de andere tabs zichtbaar te maken.

Actiebalk   Onder de tabs staat de actiebalk met bedieningsknoppen en het adresvak.

■ Met de twee pijlen uiterst links van het adresvak gaat u naar de vorige respectievelijk de volgende pagina die u op het actieve tabblad hebt bezocht.

■ Tik op de knop **Vernieuwen** (de cirkelpijl) om de pagina opnieuw te laden. Tijdens het laden van de pagina verschijnt de knop **Stoppen** (het kruis) rechts van het adresvak. Duurt het lang voordat de pagina geladen is of bedenkt u zich, tik dan op deze knop om het laden af te breken.

Pagina verversen   Internet houdt pagina's in het geheugen. Wilt u zeker weten dat u over de laatste informatie beschikt? Tik dan op de knop **Vernieuwen** links in het adresvak. Daarmee laadt Internet de nieuwste versie van de pagina.

■ In het adresvak ziet u het webadres – ook wel URL (*Uniform Resource Locator*) genoemd – van de huidige pagina. Tikt u op het adresvak, dan komt het toetsenbord tevoorschijn en kunt u een zoekactie starten of een webadres typen. Terwijl u tekst typt, verschijnen suggesties gebaseerd op websites die u eerder hebt bezocht, de bladwijzers en de resultaten van de zoekmachine. U herkent dit aan het pictogram voor de suggestie.

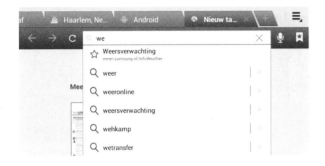

U hoeft zelden het hele adres te typen, de suggesties verschijnen terwijl u typt.

■ Wilt u een suggestie in het adresvak opnemen? Tik dan op de plusknop achter de suggestie.

■ Tik op een suggestie als u die wilt openen.

■ Wilt u de huidige pagina opslaan als bladwijzer, tik dan op de knop **Bladwijzer toevoegen** (de ster) rechts in het adresvak.

Bladwijzer   Een bladwijzer is een snelkoppeling naar een bepaalde webpagina. Daarmee gaat u met een tik op de bladwijzer rechtstreeks naar deze pagina van de website. Samsung gebruikt overigens de term favoriet in plaats van bladwijzer. In de browser Chrome wordt gewoon de term bladwijzer gebruikt.

■ U start een zoekactie met een tik op de knop **Zoeken** (het loeppictogram). U hebt al kennisgemaakt met zoeken en dat gaat hier precies hetzelfde. En ja, u kunt uw zoekopdracht ook inspreken als u op de microfoonknop tikt.

Snelle zoekactie   Houd uw vinger op de knop **Start** en schuif naar **Google**, daarmee start u een zoekactie zonder terug te keren naar het startscherm. Of keer terug naar het startscherm en tik op de knop **Zoeken** of **Zoeken met spraak** in het startscherm. Daarmee zoekt u immers ook op internet. Onderaan het scherm ziet u verschillende knoppen. Tik op een van de knoppen om de bijbehorende zoekresultaten te zien. Tik op een zoekresultaat om dit te bekijken.

Gebruik deze knoppen om de bijbehorende zoekresultaten te openen.

■ Wilt u een bladwijzer gebruiken of een eerder bezochte pagina oproepen? Tik dan op de knop **Bladwijzers** uiterst rechts. Hiermee opent u het venster Bladwijzers. U ziet drie tabs, **Favoriet**, **Geschiedenis** en **Opgeslagen pagina's**. Tik op de gewenste bladwijzer of op een link in **Geschiedenis** om de webpagina te openen.

■ Boven de bladwijzerknop staat de menuknop. Het menu komt verderop uitgebreid aan bod.

Bladwijzers en uw surfgeschiedenis, een snelle route naar een bepaalde website.

Surfen

Het scherm van uw tablet is weliswaar groot, maar hebt u een hele webpagina in beeld, dan is die niet altijd even makkelijk te lezen. Draai uw tablet een kwartslag, dan past de weergave zich automatisch aan. In de liggende stand ziet u de pagina groter, in de staande stand hebt u een beter overzicht. Hoe u het ook wendt of keert, zoomen en scrollen is tijdens het surfen onvermijdelijk.

Als geheugensteuntje:

■ Dubbeltik op een pagina om in te zoomen. Wilt u uitzoomen, dubbeltik dan opnieuw. Knijpen met twee vingers werkt ook prima, daarmee kunt u traploos inzoomen.

■ Scrol snel door een pagina met een veeg omhoog of omlaag op de pagina.

Zoomt u in op de tekst, dan leest u veel comfortabeler en is het bovendien veel makkelijker om op de juiste link te tikken.

■ Hebt u ingezoomd en ziet u niet de volledige paginabreedte, veeg dan van links naar rechts (of andersom) om horizontaal te scrollen. Of dubbeltik op de tekst, zodat deze passend in het scherm wordt weergegeven.

■ U volgt een link met een tik op de koppeling.

Leest u veel online, dan zal het u vast wel zijn opgevallen dat langere artikelen niet altijd even makkelijk te lezen zijn. Bij langere artikelen verschijnt een groen picto-gram rechts in de adresbalk. Tik daarop om het artikel in de leesmodus te openen. Dit leest een stuk makkelijker. Bovendien kunt u het lettertype in de lezer groter maken om nog makkelijker te lezen. Bent u klaar met het artikel, tik dan linksboven op de knop **Vorige** (<) om terug te keren naar de normale weergave.

Links het artikel in de normale opmaak, rechts het artikel in de lees-modus.

Pagina delen   Wilt u een link naar de huidige webpagina met iemand delen? Tik dan op de menuknop en tik op de optie **Pagina delen**. Met een tik op de app die u wilt gebruiken – bijvoorbeeld Gmail – opent u een nieuw bericht met daarin de link naar de huidige pagina. Voeg het e-mailadres toe, schrijf eventueel een boodschap en verzend het bericht.

Hebt u een inte-ressante webpagina gevonden die u met iemand wilt delen? Gewoon even e-mailen.

Bladwijzers

Een bladwijzer is in feite niets anders dan het webadres van een webpagina dat als link is opgeslagen. Wilt u een bladwijzer gebruiken, tik dan op de knop **Blad-wijzers**. U ziet nu drie tabs, **Favoriet**, **Geschiedenis** en **Opgeslagen pagina's**. Tik op de tab **Bladwijzers** en tik op de gewenste bladwijzer. Daarmee opent u de bijbehorende pagina.

Bladwijzer maken

U voegt een bladwijzer toe met een tik op de knop **Bladwijzer toevoegen** in het adresvak. U kunt nu de naam van de bladwijzer aanpassen. Onder de naam ziet u het adres waarnaar de bladwijzer verwijst. Tik op de knop **Account** en selecteer of u de bladwijzer aan uw Google-account of uw Samsung-account wilt toevoegen of dat u de bladwijzer alleen op uw tablet wilt bewaren. Tik op de knop **Map** en selecteer de plaats waar u de bladwijzer wilt opslaan. Tik ten slotte op de knop **OK**. Het adres van de huidige pagina wordt nu opgeslagen als bladwijzer.

Favoriet toevoegen	
Naam	hoogte van het laatste nieuws met Telegraaf.nl
Adres	http://www.telegraaf.nl/
Account	Mijn apparaat
Map	🚩 Favorieten
Annuleren	OK

Een bladwijzer toevoegen is eenvoudig.

Account of lokaal?   Voegt u een bladwijzer toe aan een account, dan is de bladwijzer beschikbaar op uw andere apparaten of computers waarmee u dit account gebruikt. Slaat u de bladwijzer lokaal op, dan is deze bladwijzer alleen beschikbaar op uw tablet.

Bladwijzers beheren

Houd uw vinger op een bladwijzer en u krijgt een menu te zien. De opties **Openen** en **Openen in nieuw tabblad** spreken voor zich.

- **Favoriet bewerken**   Daarmee opent u hetzelfde venster als voor het maken van een bladwijzer. Nu hebt u een aantal opties.

  - Tik op het vak **Naam** om de naam te wijzigen of tik op het vak **Adres** om het adres aan te passen.

  - Tik op de knop **Account** als u de bladwijzer aan een ander account wilt toevoegen of als u de bladwijzer lokaal wilt opslaan.

  - Tik op de knop **Map** en tik dan op de knop **Andere map**. Tik op de knop **Nieuwe map** als u een nieuwe map wilt maken. Geef de nieuwe map een naam en tik op de knop **OK**.

Openen

Openen in nieuw tabblad

Favoriet bewerken

Sneltoets toevoegen aan startscherm

Koppeling delen

URL kopiëren

Favoriet verwijderen

Instellen als startpagina

Houd uw vinger op een bladwijzer om dit menu te openen.

■ **Sneltoets toevoegen aan startpagina** Met deze optie zet u een snelkoppeling naar deze pagina op het startscherm van uw tablet. Daarmee opent u Internet op de pagina met een vingertik vanaf het startscherm.

■ **Koppeling delen** Hiermee deelt u de link met een vriend of collega, dat kan op verschillende manieren. De meestgebruikte manier is via een e-mailbericht, maar u kunt de bladwijzer ook delen op Google+ of verzenden met Bluetooth.

U kiest hoe u een link deelt.

■ **URL kopiëren** Gebruik deze optie om het webadres op het klembord te zetten. U kunt het webadres daarna eenvoudig op de gewenste plaats plakken. Bijvoorbeeld in een tekst of in het adresvak.

■ **Favoriet verwijderen** Hiermee verwijdert u de bladwijzer.

■ **Instellen als startpagina** Tikt u op deze optie, dan stelt u de website waarnaar de bladwijzer verwijst in als startpagina. Telkens als u een nieuw tabblad opent, verschijnt daarop de startpagina.

Geschiedenis Tikt u op de tab **Geschiedenis**, dan hebt u verschillende opties, zoals **Vandaag**, **Gisteren**, **Afgelopen 7 dagen**, **Afgelopen maand** en **Meest bezocht**. Tik op een van de opties en bekijk welke websites u in die periode hebt bezocht.

■ Een bladwijzer herkent u aan de gele ster. Tik op de ster achter een pagina als u deze wilt toevoegen aan uw bladwijzers.

■ Houd uw vinger op de pagina om het menu met opties te openen. Daarmee beheert u de pagina's in **Geschiedenis**. U kunt individuele pagina's openen, verwijderen of delen.

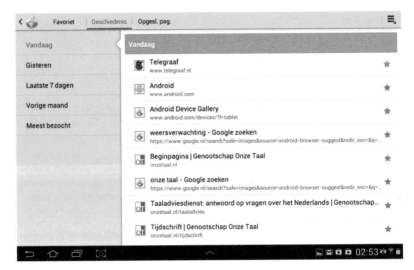

Hoe heette die site ook al weer, van de week was ik er nog… Blader even terug in de tijd met de tab Geschiedenis.

Opgeslagen pagina's Terwijl u aan het surfen bent, komt u af en toe iets tegen dat u later nog eens op uw gemak wilt lezen. Slaat u zo'n pagina op, dan kunt u de pagina ook offline lezen. Dat is ideaal als u een lange vliegreis voor de boeg hebt of ergens heen gaat waar u geen internetverbinding hebt. En zo slaat u een pagina op: Tik op de menuknop en tik op de optie **Opslaan voor offline lezen**. De pagina's die u zo opslaat, vindt u terug op het tabblad **Opgeslagen pagina's** bij de bladwijzers.

U opent een opgeslagen pagina met een tik op het pictogram van de pagina. Houd uw vinger op het pictogram om het menu te openen. U ziet bovenaan de naam van de website. De overige opties komen u nu ongetwijfeld bekend voor…

Menu

Boven de bladwijzerknop staat de menuknop. Op de Tab 3 en de Note 8.0 ziet u geen menuknop op het scherm, daar gebruikt u de menuknop van uw tablet om het menu te openen. Het menu biedt u de volgende mogelijkheden:

■ **Nieuw tabblad** Wilt u een andere webpagina of site openen zonder de huidige website te sluiten? Open dan een nieuw tabblad. Dat kan via dit menu, maar het kan ook met een tik op de knop **Toevoegen** naast de laatste tab.

Wilt u een pagina opslaan of wilt u er meer van weten? Open dan het menu.

■ **Nieuw incognitotabblad** Wilt u anoniem surfen, dan gebruikt u deze optie. Zo hebt u meer privacy. Internet gebruikt dan niet de opgeslagen cookies van uw tablet, maar maakt tijdelijke cookies en verwijdert deze zodra u het incognitotabblad sluit. Ook verschijnen dan de pagina's die u bezoekt niet in de geschiedenis en worden zoekacties niet opgeslagen. Bestanden die u downloadt, blijven wel bewaard, evenals nieuwe bladwijzers.

Cookies Websites laten vaak informatie achter op uw tablet (of computer) in een klein tekstbestand, bij een volgend bezoek wordt dit bestand gelezen. Zo'n tekstbestand heet een cookie. Cookies kunnen nuttig zijn, bijvoorbeeld omdat ze uw instellingen voor de website, zoals aanmeldgegevens en de taalinstelling onthouden. Er kan echter ook een vracht aan andere informatie worden opgeslagen over uw surfgedrag en dat is niet altijd de bedoeling. Bent u niet zo dol op dit soort cookies, gebruik dan een incognitotabblad.

■ **Sneltoets toevoegen aan startpagina** Met deze optie zet u een snelkoppeling naar deze pagina op het startscherm van uw tablet. Daarmee opent u Internet op de pagina met een vingertik vanaf het startscherm.

■ **Pagina delen** Tikt u op deze optie, dan opent u een scherm met apps die u kunt gebruiken om de link naar de pagina te versturen.

■ **Zoek op pagina** Met deze optie zoekt u op de huidige pagina. Typ de tekst waarnaar u zoekt en terwijl u typt, ziet u markeringen die overeenkomende tekst tonen. Rechts op de balk ziet u nu twee pijlknoppen, hiermee springt u naar het volgende of vorige zoekresultaat. Bent u klaar met zoeken, tik dan op de knop **Gereed**.

■ **Weergave bureaublad** Herkent een website uw tablet als een mobiel apparaat, dan krijgt u vaak de mobiele versie van de site voorgeschoteld. De

De mobiele site (links) en de desktopversie (rechts).

pagina's zijn aangepast voor gebruik op mobiele apparaten met een klein scherm. Prima voor een mobiele telefoon, maar een tablet heeft een groter scherm en kan waarschijnlijk goed overweg met de normale versie van de site. Schakel deze optie in als u liever de normale versie wilt gebruiken.

Onderweg   Hebt u geen Wi-Fi-netwerk tot uw beschikking en gebruikt u mobiel internet? Dan is de mobiele versie van een website efficiënter om te gebruiken omdat daarbij minder data wordt verstuurd. Handig als de datalimiet voor mobiel internet in zicht komt.

■ **Opslaan voor offline lezen**   Met deze optie slaat u een pagina op om later nog eens op uw gemak te kunnen lezen. Ook als u geen internetverbinding hebt.

■ **Downloads**   Hier ziet u een overzicht van de bestanden die u hebt gedownload.

■ **Afdrukken**   Met deze optie kunt u de huidige pagina afdrukken, tenminste, wanneer u een Samsung-printer hebt.

■ **Instellingen**   Hier staan de instellingen voor Internet. De instellingen zijn verdeeld over zes tabbladen: **Algemeen**, **Privacy en beveiliging**, **Toegankelijkheid**, **Geavanceerd**, **Bandbreedtebeheer** en **Labs**.

Instellingen

De instellingen van een app vindt u niet bij de algemene instellingen van uw tablet, maar binnen de app zelf. De instellingen voor Internet opent u met de menuknop en een tik op de optie **Instellingen**. Hier vindt u de naam en een korte omschrijving van de belangrijkste instellingen per tabblad.

Wilt u Internet helemaal naar uw hand zetten, dan is dit het juiste startpunt.

■ **Startpagina instellen**   Hier stelt u de pagina in waarmee u Internet wilt starten of waarmee u automatisch een nieuw leeg tabblad start. Onder de optie ziet u welke pagina nu als startpagina is ingesteld.

Algemeen

■ **Formulier automatisch vullen**   Schakel deze optie in als u Internet formulieren wilt laten invullen.

■ **Tekst automatisch invullen**   Opent een dialoogvenster waarin u gegevens kunt opslaan voor het automatisch invullen van formulieren. Hoe u de laatste twee opties gebruikt, ziet u in de paragraaf *Formulieren*.

■ **Buffer leegmaken**   Internet bewaart tekst en afbeeldingen van bezochte webpagina's in tijdelijke bestanden, zodat een pagina bij een volgend bezoek sneller opent. Met deze optie wist u de tijdelijke bestanden.

Privacy en beveiliging

■ **Geschiedenis wissen**   De webadressen van bezochte sites en pagina's zijn opgeslagen in de internetgeschiedenis (zie de paragraaf *Bladwijzers*). Wilt u alle pagina's in de internetgeschiedenis wissen, dan tikt u op deze optie.

■ **Beveiligingswaarschuwingen weergeven**   Schakel deze optie uit als u niet wilt dat u waarschuwingen krijgt over ongeldige certificaten.

■ **Cookies accepteren**   Veel websites slaan informatie op in een tekstbestandje op uw tablet (of computer), een cookie. Hiermee stelt u in of u wel of niet cookies wilt accepteren. Zie ook de opmerking in de paragraaf *Menu*.

■ **Alle cookiegegevens wissen**   Wilt u geen cookies op uw tablet, dan tikt u op deze optie.

■ **Formuliergegevens onthouden**   Internet onthoudt wat u invult in formulieren op websites. Deze informatie is dan beschikbaar de volgende keer dat u deze gegevens moet invullen. Schakel de optie uit als u deze informatie niet wilt opslaan.

■ **Formuliergegevens wissen**   Hiermee wist u alle informatie die u op formulieren hebt ingevuld en die Internet heeft opgeslagen.

■ **Locatie activeren** Hiermee geeft u toestemming aan websites om uw locatiegegevens te gebruiken.

■ **Toegang tot locatie wissen** Wilt u het gebruik van uw locatiegegevens stoppen, dan tikt u op deze optie. De volgende keer dat een website uw locatiegegevens wil gebruiken, moet de site u om toestemming vragen.

■ **Wachtwoorden onthouden** Internet kan gebruikersnamen en wachtwoorden onthouden die u nodig hebt om toegang te krijgen tot bepaalde webpagina's. Schakel deze optie in als u dat handig vindt, maar bent u veel onderweg, dan is dit natuurlijk wel een risico als uw tablet in verkeerde handen valt.

Voorkomen is beter dan genezen. Bent u veel onderweg met uw tablet, hoe groot is dan het risico dat onbevoegden uw gebruikersnamen en wachtwoorden in handen krijgen?

Wachtwoorden

Wachtwoorden onthouden
Gebruikersnamen en wachtwoorden voor
websites opslaan

Wachtwoorden wissen
Alle opgeslagen wachtwoorden wissen

■ **Wachtwoorden wissen** Tik op deze optie om alle opgeslagen wachtwoorden en gebruikersnamen te wissen.

**Toegankelijk-
heid**

Hiermee stelt u in hoe de websites op uw tablet worden weergegeven.

■ **Zoomen afdwingen** Niet alle sites laten u net zover inzoomen als u wilt. Met deze optie neemt u de controle over het zoomen over.

■ **Tekstgrootte** In het voorbeeldvak ziet u het effect van de verschillende instellingen. Hier selecteert u de tekstweergave die u wilt hebben.

　　■ **Tekst vergroten en verkleinen** Vergroot of verklein de tekstweergave in Internet.

　　■ **Zoompercentage bij dubbeltikken** Stel in hoeveel u zoomt met een dubbeltik. Standaard is dat tweehonderd procent. Bevalt dat niet, kies hier dan een ander percentage.

　　■ **Minimale tekengrootte** Hier bepaalt u hoe klein de kleinste letters zijn die op uw tablet worden weergegeven.

■ **Omgekeerde weergave** Gebruikt u in plaats van een wit scherm met zwarte letters liever een zwart scherm met witte letters? Dat stelt u hier in. U kunt dan ook het contrastniveau instellen. Een bijkomend voordeel is dat het scherm bij de omgekeerde opbouw veel minder energie verbruikt. Iets om in uw achterhoofd te houden tijdens het surfen als de accu bijna leeg is…

Voorbeeld van omgekeerde weergave. Links normaal en rechts omgekeerd.

■ **Zoekmachine selecteren** Standaard gebruikt Internet Google als zoek-machine, maar het staat u vrij om hier uw favoriete zoekmachine op te geven. Wilt u een zoekopdracht inspreken, dan gebruikt u daarvoor automatisch de Google-zoekmachine.

Geavanceerd

■ **Openen op achtergrond** Wilt u dat nieuwe tabs in de achtergrond wor-den geopend, dan schakelt u deze optie in. Deze optie is vooral handig wanneer u met webpagina's werkt die veel tijd nodig hebben om te laden.

■ **JavaScript inschakelen** Schakel deze optie uit wanneer u niet wilt dat webpagina's JavaScript draaien. Bedenk wel dat veel webpagina's JavaScript nodig hebben voor een juiste werking.

■ **Invoegtoepassingen activeren** Met deze optie regelt u het gebruik van plug-ins van websites. U hebt de keuze tussen **Altijd aan**, **Op aanvraag** en **Uit**.

■ **Standaardzoom** Hier stelt u het zoomniveau in waarmee Internet de web-pagina toont bij het openen van de pagina.

■ **Pagina's passend maken** Schakel deze optie in wanneer u wilt dat na een dubbeltik op een tekst op de webpagina de tekst schermvullend wordt weer-gegeven.

Zoekmachine selecteren	
Google Zoeken	◉
Bing	◎
Yahoo! Nederland	◎
Ask.com Nederland	◎
Annuleren	

Prefereert u een andere zoek-machine, dan stelt u dat hier in.

- **Pop-ups blokkeren** Hiermee voorkomt u dat websites tabs en vensters openen zonder uw toestemming.

- **Standaardinstellingen** Wilt u de standaardinstellingen voor Internet herstellen, dan tikt u op deze optie.

Bandbreedte-beheer

- **Zoekresultaten vooraf laden** Hiermee neemt Internet een voorsprongetje door de resultaten van een zoekactie alvast te laden. Hierbij worden alleen de zoekresultaten met een hoge betrouwbaarheid geladen. Het voordeel is dat u sneller surft, omdat een aantal dingen al klaar staat. Bedenk wel dat dit extra dataverkeer genereert, want u zult niet alles bekijken wat vooraf geladen is. Hebt u dus geen beschikking over een Wi-Fi-verbinding, maar wel een datalimiet voor het mobiele datanetwerk? Schakel deze optie dan uit als uw datalimiet in zicht komt.

- **Vooraf laden van pagina** De browser kan alvast de volgende pagina van de site laden. Tik op deze instelling om aan te geven wanneer dat mag. U hebt de keuze uit **Nooit**, **Alleen met Wi-Fi** en **Altijd**.

- **Afbeeldingen laden** Schakel deze optie uit als u een langzame verbinding hebt en toch snel wilt surfen. Het nadeel is natuurlijk wel dat u alleen tekst te zien krijgt…

Labs Op deze tab staat maar één item en dat is **Snelle besturingselementen**. Schakel deze optie in als u de balk en het adresvak wilt verbergen. Hebt u de knoppen nodig, dan veegt u uw duim over de linker- of rechterrand van het scherm. Schuif uw duim dan over het scherm naar de gewenste knop of optie. Het is even wennen, maar u hebt meer ruimte in het scherm en het is wel zo makkelijk.

De blauwe knoppen rechts zijn de snelle besturingselementen. De actiebalk en tabs zijn verdwenen, u bedient de browser met uw duim.

Formulieren

Bent u actief op internet, dan zult u regelmatig gegevens moeten invullen. Bijvoorbeeld een gebruikersnaam en wachtwoord voor toegang tot een beveiligde website of wanneer u een bestelling plaatst. Uw browser kan gebruikersnamen en wachtwoorden van bezochte websites onthouden en meer. Plaatst u een bestelling, dan moet u vaak dezelfde informatie opgeven, zoals uw naam en adresgegevens. Als u wilt, kan Internet deze tekstvelden automatisch vullen met informatie die u hebt opgeslagen.

Vul hier in welke gegevens Internet mag gebruiken om formulieren in te vullen.

Wilt u deze optie gebruiken, schakel dan het selectievakje in van **Formulier automatisch vullen** bij **Instellingen**, **Algemeen**. Tik daarna op de optie **Tekst automatisch invullen**. U krijgt nu een formulier waarin u de gegevens typt die u automatisch wilt laten invullen. Sluit af met een tik dan op de knop **Opslaan**. Wilt u deze gegevens verwijderen, tik dan op de knop **Verwijderen**.

Met deze optie bespaart u zichzelf wat typewerk. Verwacht hier echter geen wonderen van, want niet alle websites gebruiken dezelfde veldnamen voor hun formulieren en dan lukt het automatisch invullen dus niet.

De overeenkomsten tussen de browsers Internet en Chrome zijn groot, hoewel er kleine verschillen zijn. De werkwijze is voor beide browsers vrijwel gelijk. Het belangrijkste verschil is dat Chrome geen leesmodus heeft en ook geen snelle besturingselementen ondersteunt.

Chrome

Log in bij Chrome om uw geopende tabbladen, bladwijzers, geschiedenis en meer van uw computer over te zetten naar uw telefoon of tablet.

Uw versie van Chrome, op al uw apparaten.

Bij de eerste start van Chrome kunt u meteen inloggen.

U zult in Chrome ook vergeefs naar de zoekknop zoeken, uw zoekacties en web-adressen typt u in hetzelfde vak en terwijl u typt, verschijnen de eerste resultaten. Wilt u spraak gebruiken, tik dan op de microfoonknop in het adresvak.

Verder kan Chrome de geopende tabbladen en bladwijzers tussen uw apparaten synchroniseren. Daarvoor meldt u zich in Chrome aan met uw Google-account. Dat doet u op elk apparaat waarop u Chrome gebruikt.

Dat klinkt ingewikkelder dan het is. De eerste keer dat u Chrome start, krijgt u de vraag of u wilt inloggen. Tik op de knop **Inloggen** en u wordt aangemeld met het-zelfde Google-account waarmee u uw tablet hebt aangemeld. U hoeft dus geen accountgegevens of wachtwoord in te voeren. U kunt dan meteen een rondleiding volgen om Chrome te ontdekken.

In het menu staat de optie **Andere apparaten**. Tik op deze optie en hier staan van alle apparaten de geopende tabbladen en bladwijzers. Tik op de gewenste pagina om deze te openen. U kunt dus naadloos verder surfen als u van de computer over-stapt naar uw tablet of telefoon.

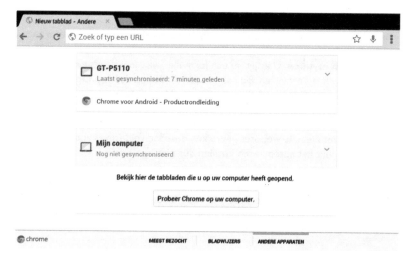

Tik op de pagina van een ander apparaat waarop u Chrome gebruikt.

Inloggen of niet? Natuurlijk kunt u zich ook later aanmelden, dat doet u dan in het menu bij **Instellingen**. Rechtsboven ziet u de knop **Inloggen bij Chrome**. Bent u aangemeld, dan ziet u bij **Instellingen** op het blad Basisinstellingen uw account. Tikt u daarop, dan kunt u de koppeling weer ongedaan maken en bepalen wat u wel en niet wilt synchroniseren.

Dropbox

Slaat u uw gegevens online op, dan zijn ze beschikbaar vanaf elk apparaat met een internetverbinding. Er zijn verschillende aanbieders van cloudopslag, zoals online opslag ook wel wordt genoemd. Dropbox is een populaire online opslagaanbieder.

Samsung heeft de app Dropbox alvast op uw tablet geïnstalleerd. Open de app Dropbox en meld u aan met uw Dropbox-account. Voortaan synchroniseert Dropbox bijvoorbeeld uw foto's automatisch met de webserver en de computer(s) waarop u Dropbox hebt geïnstalleerd. Hebt u nog geen Dropbox-account? Dan kunt u dat direct vanuit de app maken. Een account maken is gratis en u krijgt twee GB opslagruimte gratis. U kunt meer opslagruimte verdienen als uw vrienden ook Dropbox gaan gebruiken, tot in totaal 18 GB. Of sluit een abonnement af voor extra ruimte.

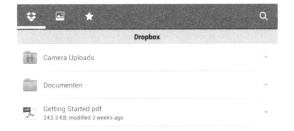

Dropbox slaat uw bestanden online op en synchroniseert ze met al uw aangemelde apparaten.

Gratis 50 GB Het zal ongetwijfeld een tijdelijke actie zijn, maar als u zich aanmeldt bij Dropbox vanaf uw Samsung-tablet, krijgt u de gelegenheid om 50 GB opslagruimte voor twee jaar te verdienen. Alles wat u daarvoor moet doen, is op de site de introductiestappen doorlopen en Dropbox op uw computer installeren. Daarna krijgt u 50 GB extra opslagruimte. Hoe lang deze actie nog loopt? Geen idee, maar niet geschoten is altijd mis.

Het werkt heel eenvoudig: sleep een bestand naar de map van Dropbox en dit bestand wordt automatisch gesynchroniseerd. Eerst ziet u een blauw synchronisatiepictogram, daarna een groen pictogram om aan te geven dat de synchronisatie is geslaagd. Hebt u Dropbox ook op uw computer geïnstalleerd, dan verschijnt dit bestand automatisch in de map Dropbox op uw computer.

Dropbox gebruiken

Dropbox vraagt de eerste keer of u gemaakte foto's automatisch wilt synchroniseren. Telkens als u een foto maakt of opslaat, komt de foto in uw Dropbox in de map Camera Uploads terecht en is daarna op alle apparaten beschikbaar.

Wilt u de automatische synchronisatie uitschakelen (of later inschakelen)? Dat doet u dat bij de instellingen van Dropbox. Tik in Dropbox op de menuknop en tik op **Settings**. Tik op de optie **Turn off Camera Upload** (Turn on Camera Upload) om de synchronisatie van foto's uit te schakelen.

Met de optie **Unlink device from Dropbox** schakelt u Dropbox helemaal uit op de tablet.

De andere mogelijkheden van Dropbox ontdekt u zo. Open een map in Dropbox en bekijk de inhoud. Tik op de knop achter een bestand of houd uw vinger op het bestand. U kunt het bestand dan delen, markeren als favoriet, verwijderen, een andere naam geven, verplaatsen of exporteren.

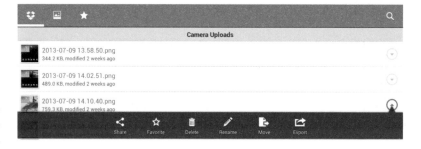

Acties voor de bestanden in Dropbox.

Wilt u een bestand delen met iemand? Dat kan ook met mensen die geen Dropbox hebben. Zij ontvangen een link waarmee ze het bestand kunnen bekijken.

Internet altijd en overal

Thuis en op het werk gebruikt u natuurlijk het draadloze netwerk voor uw internetverbinding. Dat is snel, betrouwbaar en – als het goed is – veilig. Bent u onderweg of op vakantie, dan ligt dat anders. Niet iedere tablet is geschikt voor het mobiele datanetwerk, maar dat wil niet zeggen dat u aan huis gebonden bent voor een internetverbinding. Hotels, restaurants, recreatieparken en dergelijke hebben vaak voor hun gasten een Wi-Fi-netwerk – ook wel hotspot of Wi-Fi-hotspot genoemd. Sommige hotspots mag u gratis gebruiken, maar voor andere moet u betalen. Voor een paar euro krijgt u dan een bepaalde tijd toegang of mag u een bepaalde hoeveelheid data verbruiken.

Datagebruik   Wilt u een beetje inzicht in hoeveel data u normaal gesproken gebruikt? Open dan **Instellingen** en tik op **Datagebruik**. Hier ziet u per onderdeel hoeveel data u in de laatste periode hebt gebruikt. Uiteraard is dit een indicatie, maar het geeft u een idee hoeveel gegevens u verstuurt en ontvangt met uw favoriete apps.

21-28 Jul: circa 1,18 GB gebruikt

Wilt u weten hoeveel data u gemiddeld gebruikt? Kijk dan eens bij Instellingen, Datagebruik.

Hotspots

Een aantal hotspots kunt u gebruiken zonder dat u zich moet aanmelden, voor andere moet u zich aanmelden. Maakt u verbinding met een Wi-Fi-netwerk waarvoor u zich moet aanmelden, dan verschijnt een pagina waarop u zich kunt aanmelden. Zijn er kosten aan het gebruik verbonden, dan krijgt u daar een melding van.

Onbeveiligde netwerken   Een hotspot waarbij u zich niet hoeft aan te melden is in principe onbeveiligd. Wees heel voorzichtig wanneer u via zo'n netwerk gevoelige informatie verstuurt. Maar ook als u zich wel moet aanmelden, is het verstandig om geen openbare hotspots te gebruiken voor bijvoorbeeld internetbankieren of online aankopen. Het is te eenvoudig voor kwaadwillenden om gebruikersnamen, wachtwoorden en betaalgegevens te onderscheppen.

Soms biedt ook uw internetprovider toegang tot hotspots, gratis of tegen betaling. Zo hebben bijvoorbeeld klanten met een internetabonnement van KPN gratis toegang tot de meer dan duizend hotspots van KPN in Nederland, waarbij ze zich met dezelfde gebruikersnaam en wachtwoord als thuis kunnen aanmelden.

Ook T-Mobile biedt iets dergelijks voor abonnees. Het loont dus zeker de moeite om even na te kijken of uw internetprovider ook zo'n service in de aanbieding heeft.

Een hotspot nodig? Bekijk de hotspots van KPN op de kaart of download de lijst met locaties op uw tablet.

Gratis Wi-Fi   Er zijn verschillende apps waarmee u de aanwezige Wi-Fi-netwerken in uw omgeving kunt ontdekken. Een goed voorbeeld is **Wi-Fi Finder for Android** van JiWire. Deze gratis app toont alle openbare netwerken (hotspots) in uw omgeving en geeft aan of deze wel of niet gratis toegankelijk zijn. Wi-Fi Finder beschikt over een database die regelmatig wordt bijgewerkt. U kunt de database ook installeren op uw tablet, deze wordt opgeslagen op de externe SD-kaart (indien aanwezig). Hebt u de database geïnstalleerd, dan kunt u ook naar hotspots zoeken als u geen internetverbinding hebt. De app toont hotspots in 144 landen, dus deze app mag tijdens de vakantie niet op uw tablet ontbreken.

Hebt u geen Wi-Fi-netwerk binnen bereik, maar wel mobiel internet? Ook dan hebt u toegang tot internet. Soms hebt u geen bereik bij uw eigen provider of u bent in het buitenland en u hebt dringend uw mail nodig. In dat geval maakt u gebruik van dataroaming, dat wil zeggen dat u mobiele data via het netwerk van een andere provider gebruikt, bijvoorbeeld in het buitenland.

Schakel de optie Roaming uit in het buitenland om hoge kosten te voorkomen.

Reisbundels Informeer vooraf bij uw provider of er ook speciale bundels zijn waarmee u in het buitenland voordelig kunt bellen en data gebruiken.

U tikt daarvoor op **Apps**, **Instellingen**, **Draadloos en netwerken**, **Mobiele netwerken** en schakelt de optie **Dataroaming** in. Om onverwacht hoge kosten te voorkomen laat u deze optie uitgeschakeld, u schakelt deze optie pas in wanneer u dataroaming nodig hebt.

Prijzig Wees voorzichtig, de kosten van dataroaming kunnen behoorlijk oplopen. Binnen Europa zijn de tarieven al flink gedaald, hoewel het nog steeds aardig in de papieren kan lopen. Buiten Europa zijn de tarieven echter hoog. Prijzen van rond de tien euro per MB voor dataroaming in de Verenigde Staten of Canada zijn geen uitzondering. Informeer daarom vooraf naar de kosten. Nog beter, huur voor de vakantie een mobiele hotspot of gebruik een hotspot in een hotel of restaurant. Zelfs als die niet gratis is, bent u meestal toch veel voordeliger uit.

Is uw tablet voorzien van een simkaart, dan kunt u de tablet ook inzetten als mobiele hotspot. Dat wil zeggen dat uw tablet het mobiele datanetwerk gebruikt om andere apparaten van internet te voorzien. Dat is handig als u voor uw computer internet nodig hebt, maar geen Wi-Fi-netwerk bij de hand hebt. U stelt dit als volgt in.

Mobiele hotspot

1. Open **Instellingen**, **Meer instellingen**.

2. Tik op **Tethering en draagbare hotspot**, **Draagbare Wi-Fi hotspot**.

3. Schakel de schakelaar in naast **Draagbare Wi-Fi hotspot**.

4. Tik op **Configureer** om de netwerkinstellingen in te stellen.

   ■ **Netwerk-SSID** U ziet hier de toestelnaam, u kunt deze bewerken. Voor andere apparaten is dit de naam van het Wi-Fi-netwerk.

   ■ **Mijn apparaat verbergen** Hiermee voorkomt u dat andere apparaten uw mobiele hotspot zien.

Zet uw tablet met mobiel internet in als draagbare hotspot.

■ **Beveiliging**   Selecteer hier het beveiligingstype.

■ **Wachtwoord**   Typ een wachtwoord voor het netwerk, zo voorkomt u dat iedereen toegang krijgt tot uw hotspot.

■ **Wachtwoord tonen**   Hiermee kunt u kijken welk wachtwoord u hebt getypt.

■ **Geavanceerde opties weergeven**   Is er geen goede verbinding met de hotspot, dan selecteert u hier een ander kanaal.

5. Tik op **Opslaan**.

Nu ziet u op een ander apparaat uw tablet als beschikbaar Wi-Fi-netwerk en kan – na het ingeven van het wachtwoord – verbinding worden gemaakt.

Natuurlijk gaat dat ten koste van uw databundel, dus houd het gebruik in de gaten. Of beperk het delen van uw mobiele hotspot tot opgegeven toestellen.

Mobiele hotspot   Is uw tablet niet uitgerust met mobiel internet, maar hebt u (of een van uw reisgenoten) wel een slimme telefoon? Dan kunt u die meestal ook inzetten als mobiele hotspot. Afhankelijk van het type telefoon, werkt dat op ongeveer dezelfde manier als hier voor de tablet is beschreven. Zo bent u toch even gered!

5

Contacten en co

Contacten is het adresboek van uw tablet. Ontdek hoe u contactpersonen toevoegt, wijzigt en uitwisselt met anderen. U gebruikt uw contacten voor communicatie, hetzij met Google+ of mail. En is uw tablet voorzien van een simkaart, dan kunt u een contactpersoon ook direct bellen of een sms-bericht sturen. Ontdek hoe gemakkelijk communicatie is met uw tablet.

Contacten

De app Contacten is het adresboek van uw tablet. In Contacten vindt u de namen, adresgegevens en telefoonnummers, maar ook e-mailadressen, verjaardagen en dergelijke van uw contactpersonen. Blader door de contactenlijst met een vinger-veeg. Tik op een contact om de beschikbare informatie te bekijken. Verstuurt u een e-mailbericht aan een contactpersoon, dan haalt Gmail het e-mailadres uit Contacten. Wilt u een routebeschrijving naar het adres van een zakenpartner? Tik op het adres in Contacten en Maps doet de rest.

Starten

Contacten opent u net als alle andere apps met een tik op het pictogram of op een Contacten-widget. Dat is ondertussen gesneden koek. Is uw tablet aangemeld bij uw Google-account en hebt u daarin contactpersonen opgeslagen? Dan kunt u direct aan de slag, want standaard is de synchronisatie van Gmail, Contacten en Agenda ingeschakeld voor uw Google-account. Ook de contactpersonen van andere accounts zijn beschikbaar in Contacten als u daarvoor de synchronisatie hebt ingeschakeld. Denk daarbij aan Exchange of Google+.

Hebt u zich aange-
meld bij uw
Google-account?
Dan beschikt u
direct over alle
contacten in dat
account.

Actiebalk

Op de actiebalk ziet u links drie weergaven:

- **Groepen** Bovenaan staan de contacten die (nog) niet tot een groep beho-
ren, daaronder de geïntegreerde groepen en helemaal onderaan staan de accounts. Tik op een account om de groepen te zien. Achter elke groep ziet u hoeveel leden de groep heeft. Tik op een groep om de leden ervan te zien. U kunt ook leden aan een groep toevoegen of uit een groep verwijderen. Tik op de knop **Menu** en tik op **Lid toevoegen** of **Lid wissen**. Verwijdert u een groep of wist u een lid van een groep, dan blijven deze contactpersonen gewoon op uw tablet staan, maar ze zijn niet langer lid van de groep. Uiteraard kunt u zelf ook groepen toevoegen met de knop **Nieuw**.

- **Favorieten** In deze lijst staan de personen die u als favoriet hebt gemarkeerd met een ster. Daaronder staan de personen waarmee u regelmatig contact hebt.

- **Contacten** Hier ziet u alle contactpersonen. Hebt u verschillende accounts en dubbele contactpersonen? Dan ziet u toch maar één vermelding in de lijst. Ziet u toch dubbele contacten? Dan kunt u ze koppelen.

De groep Werk in de weergave Groepen.

Favorieten Wilt u een contact opnemen in de lijst **Favorieten**? Tik dan op de vermelding in de contactenlijst om de details zichtbaar te maken. Tik op de ster naast de naam. De ster wordt geel en de contactpersoon is toegevoegd aan uw lijst **Favorieten**.

Actiescherm Tikt u op het portretje in de weergave **Groepen** en **Favorieten**, dan opent u het actiescherm. Tik op een app om de bijbehorende gegevens te zien. Tik op de gegevens om ze met die app te gebruiken. Tik dus op het e-mailadres als u een e-mailbericht wilt versturen of tik op het adres als u dat in Maps wilt zien. Tik op het portretje om alle details van de persoon te zien.

Het actiescherm (links) geeft u snelle toegang tot verschillende apps. Tikt u op het portret, dan ziet u alle gegevens van deze persoon (rechts).

Tikt u op een naam in de weergave **Contacten**, dan krijgt u alle details van die contactpersoon te zien. Op de actiebalk ziet u rechts de knoppen **Nieuw**, **Bewerken**, **Verwijderen** en **Menu**. Met de knop **Nieuw** maakt u een nieuw item, met de knop **Bewerken** past u het item aan. In het menu ziet u in elk geval de opties **Importeren/exporteren**, **Accounts** en **Instellingen**. Afhankelijk van de weer-

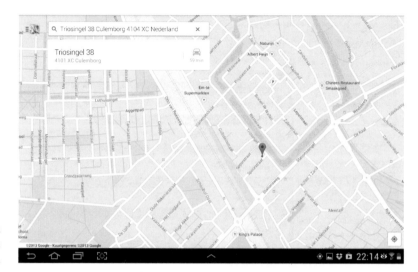

Tik op het adres en u ziet het adres op de kaart.

gave en de activiteit kunt u ook de menuopties **Naamkaartje delen via** en **Weer te geven contacten** tegenkomen. Met die laatste optie past u de weergave aan; zo kunt u instellen dat u alleen de contacten van een bepaald account wilt zien. Met de optie **Aangepaste lijst** kunt u ook voor elk account de groepen selecteren die u wilt weergeven.

Personen toevoegen

Is Contacten nog leeg? Dat is geen probleem, tenzij u tot nu toe alleen een papieren adresboek hebt gehad. In dat geval zult u uw contactpersonen moeten overtypen op de computer of op uw tablet.

Hebt u de gegevens van contactpersonen opgeslagen in bijvoorbeeld Outlook of een ander programma, maar niet in Gmail? Exporteer dan uw contactgegevens en importeer ze in uw Gmail-account. Dat kan zowel op de computer als uw tablet.

Outlook heeft de export van contactpersonen verstopt. U vindt het op het tabblad Bestand, Opties, Geavanceerd onder Exporteren.

Hebt u een bestand met de indeling CSV, importeer de gegevens dan met de computer. Virtuele visitekaartjes – vCard-bestanden – kunt u ook op uw tablet importeren.

Bestandsindeling Gmail importeert bestanden met de indeling CSV – *comma separated values* – (extensie .csv) en vCard-bestanden (met de extensie .vcf). Vrijwel elk adresboekprogramma kan exporteren naar ten minste een van deze bestandsindelingen.

×

Contactpersonen importeren

We ondersteunen het importeren van CSV-bestanden vanuit Outlook, Outlook Express, Yahoo! Mail, Hotmail, Eudora en enkele andere toepassingen. We ondersteunen ook het importeren van vCard vanuit toepassingen als het Apple-adresboek. Meer informatie

Selecteer een CSV- of vCard-bestand om te uploaden:
[Bladeren...]

[Importeren]   Annuleren

Contacten importeren is niet moeilijk.

1. Meld u op uw computer aan bij uw Google-account.

2. Open Gmail en klik op de knop Gmail.

3. Klik op **Contacten**.

4. Klik op **Contactpersonen importeren**.

5. Klik op de knop **Bladeren** en blader naar de map waarin u het exportbestand hebt opgeslagen.

6. Klik op dat bestand en klik ten slotte op de knop **Importeren**.

Gmail importeert de contactpersonen en toont ze even later. Daarna pusht Gmail de contactpersonen naar uw tablet en hebt u voortaan alle contacten van uw computer altijd en overal bij de hand.

Synchronisatie inschakelen Ziet u de contactpersonen nog steeds niet op uw tablet? Controleer dan of uw tablet wel met uw Google-account is aangemeld. Bij **Instellingen** onder **Accounts** tikt u op **Google**. Tik onder **Accounts** op uw account en u ziet wat er allemaal wordt gesynchroniseerd. Schakel hier zo nodig de opties **Agenda synchroniseren** en **Contacten synchroniseren** in.

Een andere optie is om vCard-bestanden te importeren op uw tablet. Uw tablet kan alleen vanaf een SD-kaart of USB-opslag contacten importeren. U kunt de vCard-bestanden op verschillende manieren op uw tablet plaatsen.

Op de tablet

1. Mail de vCards als bijlage naar uw Gmail-adres.

2. Open het bericht op uw tablet.

3. Tik op de paperclip voor een contact. Zijn er meer apps die met visitekaartjes overweg kunnen, dan moet u kiezen welke app u daarvoor wilt gebruiken. Tik in dat geval op **Contacten** om de actie te voltooien. Het contact wordt toegevoegd.

Importeer visitekaartjes direct vanuit een bericht in Contacten.

 Geen foto's Let op, bevat het visitekaartje een foto, dan kan uw tablet dit kaartje niet importeren. In dat geval importeert u het kaartje rechtstreeks in Google vanaf de computer.

Hebt u visitekaartjes op een SD-kaart of een USB-stick staan? Dan importeert u ze zo:

1. Open de app **Contacten**.

2. Tik op de knop **Menu** en tik op **Importeren/exporteren**.

3. Tik op de optie **Importeren van SD-kaart** of **Importeren uit USB-opslag**, afhankelijk van waar u de visitekaartjes hebt opgeslagen.

Geef aan van welke locatie u visitekaartjes wilt importeren.

4. Hebt u meer dan één account, dan geeft u hier aan welk account u wilt gebruiken.

5. Hebt u meer dan één vCard-bestand, geef dan aan of u een, meerdere of alle vCards wilt importeren.

Automatisch bijwerken   Koppelt u uw contacten aan uw Google-account, dan blijven uw contacten steeds up-to-date. Wijzigt u de gegevens van een contactpersoon of voegt u een nieuwe contactpersoon toe op uw tablet? U ziet deze wijzigingen vrijwel onmiddellijk ook in de webversie van uw Gmail-account. En als u online wijzigingen aanbrengt in de gegevens van een contactpersoon, dan zijn deze vrijwel direct zichtbaar op uw tablet.

Selecteer hier of u één, meer of alle visitekaartjes wilt importeren.

U stelt de sorteervolgorde van de contactenpersonen in bij de instellingen. U kunt hier ook de weergave van de namen instellen. Weergave en sorteervolgorde zijn onafhankelijk van elkaar.

Sorteren

1. Tik op de knop **Menu** en tik op **Instellingen**.

2. Tik op **Sorteren op**.

3. Tik op **Voornaam** als u wilt sorteren op de voornaam, tik anders op **Achternaam**.

4. Tik op **Contacten weergeven op**.

5. Tik op de gewenste optie: **Voornaam eerst** of **Achternaam eerst**.

Sorteert u op achternaam en wilt u de roepnaam eerst weergeven, dan is de volgende afbeelding het resultaat.

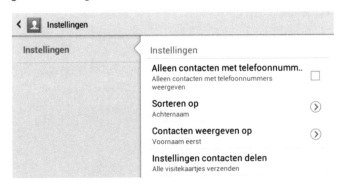

Verander de sorteervolgorde bij Instellingen.

Snel naar uw bestemming   Veeg met uw vinger over de index links voor de lijst met contacten. Daarmee schuift u niet alleen razendsnel door de lijst, maar u ziet ook de indexletter groot weergegeven. Dat is handig als u veel contacten in Contacten hebt opgeslagen.

De lijst met personen is gesorteerd op achternaam. De namen worden weergegeven met de voornaam eerst.

Nieuw contact

Tik op de knop **Nieuw** als u een nieuwe contactpersoon wilt toevoegen. Hiermee opent u het invulformulier voor een contactpersoon.

Keuze maken   Ziet u een driehoekje in de rechteronderhoek van een veld, dan hebt u verschillende keuzemogelijkheden. Tik op het driehoekje als u de mogelijkheden wilt zien.

Bovenaan staat de naam van het account. Hebt u meer accounts geïnstalleerd, tik dan op het driehoekje in de rechteronderhoek van het veld en tik op het gewenste account. Tik in een veld om het in te vullen.

Nieuw contact toevoegen. Typ de naam, maar controleer wel het resultaat.

Namen invoeren Bij namen is geen apart veld voor tussenvoegsels, zoals van, de, het. In Nederlandse namen komen tussenvoegsels veel voor en dat kan problemen met de sortering opleveren. U wilt Johanna van der Avesteen terugvinden bij de A en niet bij de V. Typt u een naam met tussenvoegsels, tik dan op de knop **Details** (het pijltje) naast het veld **Naam** en gebruik het veld **Tweede naam** voor de tussenvoegsels.

Tik op de knop Details en u ziet dat het veld Naam bestaat uit vijf onderdelen.

Hebt u twee telefoonnummers van iemand? Tik dan eerst op het driehoekje en selecteer de juiste naam voor het veld **Telefoon**. Typ het eerste telefoonnummer. Tik dan op de groene plusknop naast de naam van het veld **Telefoon** om een tweede veld in te voegen. Typ het tweede telefoonnummer, tik dan op het driehoekje en selecteer ook voor dit telefoonnummer de juiste naam voor het veld.

Labels voor de verschillende velden, zo maakt u onderscheid tussen het telefoonnummer op het werk en thuis.

Nieuw label toevoegen Staat het label van uw keuze er niet bij? Tik dan op **Aangepast** en typ de naam voor het label.

Veld toevoegen
Fonetische naam
Organisatie
Expresberichten
Notities
Bijnaam
Website
Internetoproep
Relatie

Extra velden nodig? Kiest u maar.

Hebt u niet genoeg aan de standaardvelden, voeg dan een veld toe met een tik op **Veld toevoegen** (onder aan het formulier). Hier vindt u velden als **Fonetische naam, Organisatie, Relatie** en meer.

 Verjaardagen en jubilea   Voegt u verjaardagen in en andere speciale data, dan worden deze automatisch opgenomen in de agenda. U voegt deze toe bij **Afspraken**.

Foto van een persoon. Met het blauwe kader bepaalt u de uitsnede.

Wilt u een foto toevoegen van de contactpersoon, tik dan op het portretpictogram achter de naam. Tik op **Foto maken** voor een nieuwe foto of tik op **Afbeelding** om een bestaande foto te gebruiken. Selecteer de foto in Galerij. Er verschijnt een blauw kader om het gezicht. Versleep de randen van het kader en verplaats zo nodig het kader totdat u een goede uitsnede hebt. Tik op de knop **Gereed** als u tevreden bent. De foto wordt ingevoegd.

Hebt u alle velden ingevuld, tik dan op de knop **Opslaan**. Bedenkt u zich, tik dan op de knop **Annuleren**. Maar pas op, want daarmee verliest u wel alle ingevoerde gegevens.

 Bewerken of nieuw   Wilt u een bestaand contact bewerken? Tik op het contact en tik op de knop **Bewerken**. Hiermee opent u hetzelfde formulier. Uiteraard hebt u dezelfde mogelijkheden als bij een nieuw contact toevoegen.

 Snelle contacten   Een nieuw contact toevoegen kan ook vanuit andere apps. In Gmail of E-mail tikt u op het portretpictogram in de berichtkop, tik dan op **Contact maken** om de afzender toe te voegen.

Nieuw contact
toevoegen vanuit
Gmail.

Contact gebruiken

Contacten biedt een snelle route naar allerlei andere apps, zonder dat u Contacten
hoeft te verlaten. Tik op een contact in de lijst en de info van het contact verschijnt.
U hebt nu de volgende mogelijkheden:

- Wilt u het contact toevoegen aan de weergave **Favoriet**, tik dan op de ster
  achter de naam.

- Tik op een e-mailadres om een bericht naar dat adres te sturen.

- Tik op een internetadres en u opent de bijbehorende website.

- Tik op het adres om de locatie te bekijken of een routebeschrijving op te vragen.

- Tik op de menuknop en tik op **Naamkaartje delen via** om het visitekaartje
  van het contact als bijlage per e-mail te versturen of via Bluetooth of Wi-Fi
  Direct te verzenden.

- Wilt u het contact verwijderen, dan tikt u op de knop **Verwijderen**.

Kopieer en plak Wilt u de inhoud van een veld in een ander document over-
nemen? Tik op het gewenste contact en houd uw vinger op het veld. Tik op de melding **Kopiëren naar klembord**. Ga dan naar het document waarin u de gegevens
wilt plakken. Houd uw vinger op het scherm totdat de knop **Plakken** verschijnt.
Tik op de knop en de tekst wordt ingevoegd.

Contact opzoeken

Wilt u in Contacten zoeken, tik dan in het vak **Zoeken** boven de index. Begin te typen en de suggesties verschijnen. Staat het gewenste resultaat ertussen, dan tikt u erop om het contact te openen.

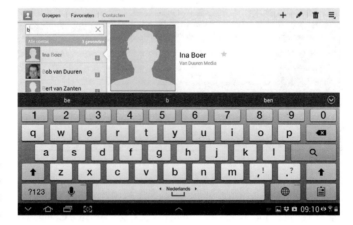

Contact gezocht? Met een paar letters hebt u resultaat.

Uiteraard kunt u ook zoeken met de standaardzoekfunctie van uw tablet. Tik in het startscherm op **Google zoeken** en tik op de knop **Menu**. Controleer of bij de zoekinstellingen Contacten is ingeschakeld. Bij een zoekactie vindt u nu ook uw contactpersonen.

Google+

Google+ is het sociale netwerk van Google waar u berichten, foto's en meer kunt delen met vrienden en familie. Hebt u zich op uw tablet aangemeld met uw Google-account, dan bent u ook aangemeld voor Google+. U wordt eerst gevraagd om uw profiel in te vullen met zaken als uw naam, beroep, opleiding en nog veel meer.

Profiel maken voor Google+.

Uiteraard zijn ook foto's welkom. De bedoeling is dat zo mensen die u kennen u gemakkelijk kunnen vinden. Wilt u later uw profiel aanvullen, tik dan uiterst links in de actiebalk op het Google+-pictogram. Daarmee opent u de lijst met verschillende onderdelen van Google+. Tik op **Profiel** om uw profiel te bekijken en aan te passen. En vergeet de menuknop niet, bij **Instellingen** regelt u onder andere van welke gebeurtenissen u een melding ontvangt.

In Google+ kunt u berichten schrijven, foto's delen, uw locatie delen en mensen volgen – dat wil zeggen, de berichten en zaken die ze delen bekijken. Mensen verdeelt u in kringen, standaard zijn dat Vrienden, Familie, Kennissen en Volgen, maar het staat u vrij om daar zelf andere kringen aan toe te voegen. In community's treft u mensen met dezelfde interesses en deelt u uw ervaringen. U kunt uw waardering aangeven voor berichten, foto's en meer met een klik op de knop met +1. Verder kunt u chatten in Hangouts.

Links het menu voor Google+, rechts Mensen in Google+.

Op dit moment is Google druk bezig om allerlei zelfstandige onderdelen onder te brengen bij Google+. Zo is het chatprogramma Talk van het toneel verdwenen en vervangen door Hangouts. En Messenger dat ook als losse app op uw tablet staat, doet niets anders dan doorverwijzen naar Hangouts. En nu maar hopen dat Google er uiteindelijk iets moois van maakt. Maar dat ontdekt u vast zelf wel.

Hangouts

Hangouts is een chatprogramma waarmee u natuurlijk ouderwets kunt chatten via tekstberichten. Heeft uw chatpartner een computer met webcam of een telefoon of tablet met frontcamera? Dan kunt u chatten met beeld en geluid. Heerlijk om verre vrienden en familie niet alleen te horen, maar ze ook te zien. En wat let u om ze uw nieuwste aanwinst te laten zien? De camera aan de achterkant van uw tablet levert videobeelden in HD en toont uw gesprekspartner precies wie er allemaal op

Hangouts in actie.

uw verjaardagsfeest zijn en wat u hebt gekregen. Bovendien maakt het niet uit waar uw gesprekspartner is: om de hoek, in Washington DC of in Sydney, de kwaliteit is hetzelfde. Ook de prijs blijft gelijk, het kost u namelijk niets.

Gesprekspartner   Uw gesprekspartner moet ook beschikken over een Google-account, Hangouts en online zijn, anders werkt het niet. Gebruikt uw gesprekspartner nog Talk, dan komt de verbinding niet tot stand.

Aanmelden   U start Google Hangouts of vanuit Google+ of met het pictogram Hangouts in de lijst met apps of op het startscherm. U bent automatisch aangemeld met hetzelfde Google-account waarmee uw tablet is aangemeld. Op het startscherm van Hangouts ziet u links gesprekken en rechts uw contactpersonen.

Uitloggen   Als u Hangouts verlaat en iets anders gaat doen, dan blijft u toch beschikbaar voor Hangouts. Wilt u een tijdje geen chatmeldingen ontvangen, tik dan op de menuknop en tik op **Meldingen uitzetten**. Kies de periode dat u geen meldingen wilt zien. Of log uit bij Hangouts: tik op de knop **Menu**, **Instellingen** en tik onderaan op **Uitloggen**.

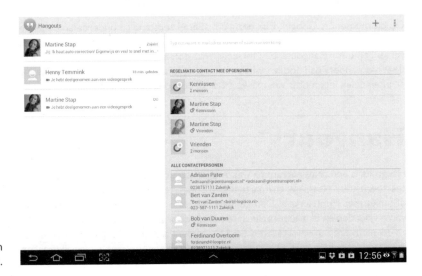

Het startscherm van Hangouts.

U kunt alleen chatten met mensen in uw kringen. Wilt u met een nieuwe persoon in uw contacten chatten?

■ Tik dan op deze persoon. U krijgt een melding. Tik op de knop **Uitnodiging verzenden**. Daarmee stuurt u deze persoon een chatuitnodiging. U voegt nu het contact toe aan één van uw kringen. Pas als de nieuwe vriend uw uitnodiging heeft geaccepteerd, kunt u chatten.

■ Ontvangt u een chatuitnodiging, dan kunt u deze accepteren of weigeren. Accepteert u de uitnodiging, dan wordt deze persoon toegevoegd aan uw kringen.

Uitnodiging U hoeft een chatuitnodiging maar één keer te versturen of te beantwoorden. Is de uitnodiging eenmaal geaccepteerd, dan zijn deze personen aan uw kringen toegevoegd en kunt u voortaan direct chatten.

Bert van Zanten uitnodigen voor Hangouts

Bert van Zanten bevindt zich nog niet op Hangouts. Wilt u Bert van Zanten hierover inlichten via sms?

Annuleren   Uitnodiging verzenden

Verstuur een uitnodiging als u met iemand wilt chatten die nog niet is aangemeld bij Hangouts.

Chatten

Tik op een contact om een chat te beginnen. Daarmee opent u het chatvenster. Onderaan het scherm ziet u twee groene knoppen. Tik op de knop **Bericht** als u via tekstberichten wilt chatten. Tik op de knop **Videogesprek** als u een gesprek wilt voeren. Is uw gesprekspartner niet online, dan krijgt hij (of zij) een melding.

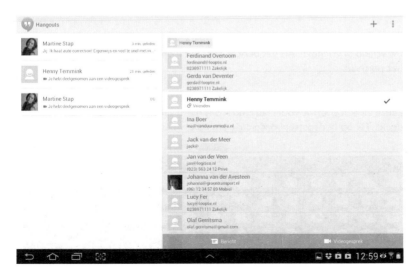

U opent het chatvenster met een tik op een contact. Tik op een van de groene knoppen om te starten.

121

Tikt u in de linkerkolom op een bestaande chat, dan kunt u deze voortzetten. In de actiebalk ziet u rechts drie knoppen, van links naar rechts:

◼ **Videochat** Hiermee schakelt u over naar een videochat.

◼ **Nieuw** Hiermee start u een nieuwe chat.

◼ **Menu** In het menu hebt u een aantal mogelijkheden, zoals het uitnodigen van meer deelnemers of vertrouwelijk chatten. Tik op de optie **Mensen en opties** als u nieuwe deelnemers wilt uitnodigen voor de chat. Tik op **Geschiedenis uitschakelen** als u niet wilt dat de chat wordt opgeslagen.

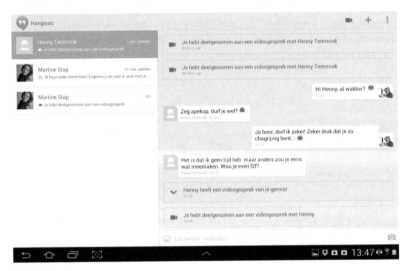

Tijdens een chat kunt u overschakelen naar een videogesprek.

Foto Wilt u een foto tonen aan uw gesprekspartner(s), tik dan op de cameraknop rechts in het tekstvak. Daarmee voegt u een foto toe. Dat kan een bestaande foto zijn die op uw tablet is opgeslagen of een foto die u met de camera maakt.

Voor een traditionele tekstchat typt u in het onderste vak. U wisselt tekst uit met uw vriend of vrienden. Als het bericht af is, tikt u op de verzendknop (pijl) rechts in het tekstvak.

Tik op de smiley links in het tekstvak als u een emoticon wilt invoegen. U hebt de keuze uit een enorme voorraad emoticons die in verschillende categorieën zijn verdeeld. Tik op het toetsenbordpictogram als u weer verder wilt typen.

Emoticons te kust en te keur. Rechts in het tekstvak staat de verzendknop.

Kring Start een groepsgesprek (video of tekst) met alle leden van een kring met een tik op de naam van de kring. Dat werkt een stuk vlugger dan een chat starten met een tik op een contact en dan de andere leden van de kring toe te voegen. Aan een videochat kunnen maximaal tien mensen deelnemen.

Tik op de knop **Videogesprek** om een videogesprek te starten. Terwijl de verbinding tot stand wordt gebracht, ziet u zichzelf beeldvullend op het scherm. Neemt uw gesprekspartner het gesprek aan, dan ziet en hoort u elkaar. Ontvangt u een videochat, dan hoort u de ingestelde beltoon en krijgt u een melding op het scherm. Tik op de knop **Beantwoorden** om de verbinding tot stand te brengen of tik op de knop **Weigeren** om het gesprek af te wijzen.

Videochat

Een binnenkomend videogesprek.

Volume Gebruik de volumeknoppen van de tablet om het geluid harder of zachter te zetten.

U ziet uw gesprekspartner beeldvullend en in het venstertje rechtsonder ziet u wat uw gesprekspartner ziet. Tik op het kleine venstertje en u ziet uzelf in het grote venster en uw gesprekspartner in het kleine venstertje linksonder. De actiebalk wordt verborgen tijdens de chat. Hebt u de knoppen nodig? Tik dan op het scherm. U ziet in de actiebalk drie of vier knoppen, afhankelijk van welke tablet u hebt. Deze knoppen hebben van links naar rechts de volgende functies:

De verbinding is tot stand gebracht. In de actiebalk en onderaan staan de bedieningsknoppen.

■ **Afsluiten**   Hiermee beëindigt u het videogesprek.

■ **Chat**   Overschakelen naar een gewone chat. U ziet een groene balk in beeld om u eraan te herinneren dat het videogesprek nog steeds geopend is. Tik op deze balk om terug te schakelen.

Het videogesprek is nog steeds actief op de achtergrond!

Actief videogesprek	04:25

■ **Toevoegen**   Tik hierop om extra deelnemers toe te voegen.

■ **Menu**   Hiermee opent u het menu.

Onderaan het scherm staan vier knoppen, van links naar rechts:

■ **Microfoon**   Hiermee schakelt u de microfoon uit, uw gesprekspartner ziet u wel, maar kan u niet horen. Tik nogmaals op deze knop om de microfoon weer in te schakelen.

■ **Luidspreker**   Gebruik deze knop als u het geluid wilt beluisteren met een koptelefoon of via Bluetooth.

■ **Beeld**   Schakel het beeld uit van de camera, uw gesprekspartner kan u nog steeds horen, maar niet zien. In plaats daarvan ziet hij uw profielfoto. Tik nogmaals op deze knop om het beeld weer in te schakelen.

■ **Camera**   Met deze knop wisselt u tussen de frontcamera en de hoofdcamera achterop de tablet. Handig als u iets in uw omgeving wilt laten zien.

Headset   Voor de videochat gebruikt u de ingebouwde camera, luidspreker en microfoon van uw tablet. Als u wilt, kunt u ook een headset gebruiken – een combinatie van koptelefoon en microfoon – die u al dan niet draadloos aansluit. In dat geval wordt de microfoon en de luidspreker van uw tablet uitgeschakeld. Dit is zeker in een rumoerige omgeving een goed idee. Een nadeel is natuurlijk dat u anderen die bij u zijn niet kunt laten meepraten.

Instellingen   Soms blijkt een vriend geen vriend te zijn. Als iemand u lastig valt, dan kunt u deze persoon blokkeren. Tik in de lijst op een chat waaraan deze persoon heeft deelgenomen en tik op de menuknop. Tik op **Mensen en opties** en onder **Gespreksopties** tikt u bij de juiste naam op **Blokkeren**.

Bij de instellingen voor Hangouts kunt u uw profielfoto wijzigen, aangeven of u meldingen wilt ontvangen en welke geluiden u wilt horen voor meldingen en videogesprekken. Hier vindt u ook de lijst met geblokkeerde personen. U kunt het blokkeren dus ook weer ongedaan maken.

ChatON

ChatON is een app waarmee u chat en ook videogesprekken zijn mogelijk. U kunt chatten met apparaten die een mobiel telefoonnummer hebben, net als met het populaire WhatsApp. Voor ChatON hebt u een Samsung-account nodig en dat geldt uiteraard ook voor uw gesprekspartners. Bij aanmelden moet u uw mobiele telefoonnummer opgeven, u ontvangt dan een sms-bericht met een verificatiecode. Daarna kunt u uw contacten synchroniseren, zodat ChatON kan controleren welke van uw contacten ook op ChatON actief zijn.

Voor ChatON moet u zich aanmelden met een mobiel telefoonnummer.

Hebt u een tablet zonder simkaart, kies dan bij verificatie voor overslaan. Alleen kunt u dan niet ontdekken welke van uw contacten ook ChatON gebruiken. En dan wordt het lastig om ChatON te gebruiken.

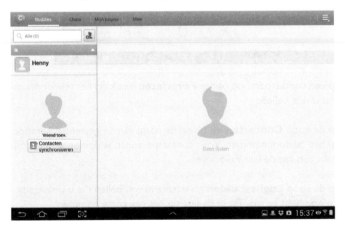

Zo valt er niet veel te chatten…

ChatON lijkt op WhatsApp, maar het succes en de bruikbaarheid van een dergelijke app valt of staat met het aantal mensen dat de app gebruikt. Ondertussen blijft mijn vriendenlijst in ChatON akelig leeg…

Telefoon

Als uw tablet voorzien is van een simkaart, kunt u er ook mee bellen en sms-berichten ontvangen en versturen. Of uw tablet een goede telefoon is? Dat bepaalt u zelf. Persoonlijk vind ik een tablet te groot en onhandig om comfortabel te bellen, maar in geval van nood is het beter dan niets. In deze paragraaf vindt u een kort overzicht van de mogelijkheden.

Iemand bellen

Een telefoongesprek voert u met de tablet op dezelfde manier als met een telefoon, hoewel u een grote tablet waarschijnlijk niet aan uw oor zult houden. Gebruik bij voorkeur een headset, daarmee belt u een stuk comfortabeler.

1. U opent de app Telefoon met een tik op het pictogram **Telefoon**.

2. Kies een nummer op een van de volgende manieren:

   ■ Tik het nummer op het toetsenblok. Maakt u een fout, tik dan op de correctietoets naast het cijfer 3.

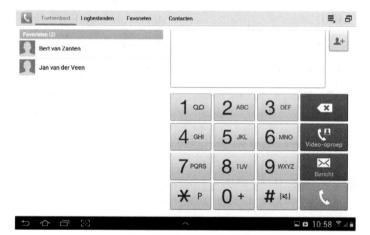

Toets een nummer in op het cijferblok en tik op de groene knop.

   ■ Tik op een contactpersoon onder **Favorieten** en tik op het telefoonnummer dat u wilt bellen.

   ■ Tik op de knop **Contacten** en tik op de naam van de gewenste persoon. Tik op het telefoonnummer. Voeg contactpersonen waarmee u vaak contact hebt toe aan de lijst Favorieten.

   ■ Tik op de knop **Logbestanden** als u iemand wilt bellen die u onlangs aan de telefoon hebt gehad. Tik in de lijst op het gewenste nummer.

3. Tik daarna op de groene knop om het nummer te bellen. Met de andere twee knoppen start u een videogesprek of verstuurt u een sms- of mms-bericht.

4. Tik op de rode knop **Stop** om het gesprek af te breken.

Een binnenkomend gesprek beantwoorden is simpel. Sleep de groene telefoon-knop naar de rand van de cirkel.

Een binnenkomend
gesprek.

Komt het gesprek niet gelegen, dan hebt u twee opties:

■ Sleep de rode telefoonknop naar de rand van de cirkel en stuur het gesprek direct door naar uw voicemail.

■ Tik op de knop **Oproep met bericht weigeren** en tik op een van de standaardberichten. U kunt deze berichten aanpassen bij **Instellingen, Oproep-instellingen, Weigerberichten instellen**.

Nu even niet! Wilt u helemaal niet gestoord worden voor gesprekken? Alle gesprekken gaan direct door naar uw voicemail als uw tablet is uitgeschakeld of als de vliegtuigstand is ingeschakeld. Wilt u wel toegang tot internet, schakel dan de vliegtuigstand in en schakel daarna Wi-Fi weer in.

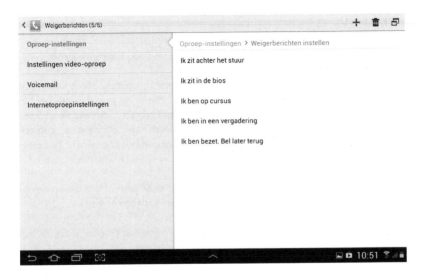

Weiger een gesprek met een bericht. U stelt de berichten vooraf in bij de oproep-instellingen.

Opties
tijdens een
gesprek

Tijdens een gesprek ziet u verschillende knoppen op het scherm.

■ Wilt u even overleggen zonder dat uw gesprekspartner aan de andere kant kan meeluisteren? Schakel de microfoon uit met een tik op de knop **Stil**. De knop krijgt een groene streep. Tik nogmaals op deze knop en u schakelt het geluid weer in.

Verschillende opties tijdens een gesprek. Schakel het geluid uit om even ruggespraak te houden, of zet een gesprek in de wacht.

■ Tik op de knop **In wacht** om het gesprek in de wacht te zetten.

■ Hebt u het nummerblok nodig om bijvoorbeeld uw keuze in te toetsen, dan volstaat een tik op de knop **Toetsen**.

■ Wilt u anderen laten meeluisteren, tik dan op de knop **Extra volume**.

■ U kunt tijdens een gesprek een tweede gesprek starten. Tik op de knop **Nieuwe oproep**. Het eerste gesprek wordt dan in de wacht gezet. Bel het tweede nummer. Is het tweede gesprek tot stand gebracht, dan wisselt u tussen de gesprekken met een tik op de knop **Wisselen**. Krijgt u tijdens een gesprek een tweede gesprek binnen? Zet dan het eerste gesprek in de wacht en beantwoord het tweede gesprek.

■ Een conferentiegesprek behoort ook tot de mogelijkheden. Hebt u een tweede gesprek tot stand gebracht, tik dan op de knop **Samenvoegen**.

■ Hebt u tijdens het gesprek de gegevens van een contactpersoon nodig, tik dan op de knop **contacten**.

Verwacht u een belangrijk gesprek dat u niet naar voicemail wilt laten gaan?

1. Ga naar **Instellingen**, **Oproep-instellingen** en tik op **Oproepen doorschakelen**.

Gesprekken door-
schakelen naar een
ander nummer.

2. Tik op Spraakoproep.

3. Tik op de gewenste optie, u hebt de keuze uit **Altijd doorschakelen**, **Doorschakelen indien bezet**, **Doorschakelen bij geen antwoord**, **Doorschakelen indien niet bereikbaar**. Deze opties zijn meestal ingesteld op het
nummer van uw voicemail, maar niets let u om hier een ander nummer op te
geven.

4. Tik op de knop achter de optie. Hebt u doorschakelen al eerder gebruikt, dan
ziet u het nummer dat u het laatst hebt gebruikt.

5. Tik in het vak en typ het nummer waarnaar u het gesprek wilt doorschakelen.

6. Tik op de knop **Aanzetten** om terug te keren naar **Instellingen**. In de statusbalk ziet u nu het pictogram **Doorschakelen**.

Berichten

Als uw tablet is voorzien van een simkaart, dan ontvangt en verstuurt uw tablet
moeiteloos sms- en mms-berichten. U doet dat met de app Berichten. Deze app is
simpel in gebruik. De berichten staan in gesprekken bij elkaar. De term gesprek is
toepasselijk, want Berichten zet berichten van een afzender en uw antwoorden bij
elkaar. De berichten staan in tekstballonnen en het resultaat lijkt inderdaad op een
gesprek.

Ontvangen berich-
ten staan samen in
gesprekken. Het
onderste gesprek
is geopend.

**Bericht
versturen**

Hoog tijd om kennis te maken met Berichten.

1. Tik op het pictogram **Berichten**. Daarmee opent u de berichtenlijst. Elke vermelding is een conversatie met daaronder de eerste regel van het laatste
   bericht.

2. In de actiebalk ziet u rechts de knoppen **Zoeken**, **Nieuw bericht** en **Menu**.
   Tik op de knop **Nieuw bericht** als u een nieuw bericht wilt schrijven.

3. Typ bij **Aan** het telefoonnummer van de ontvanger of tik op de knop achter het
   vak om een contactpersoon te selecteren. Wilt u het bericht aan meer mensen
   sturen, dan voegt u meer nummers toe.

Een nieuw bericht
schrijven.

4. Wilt u een foto of ander bestand meesturen? Tik dan op de knop met de paper-
   clip voor het bericht en selecteer de bijlage.

5. Tik in het vak achter de knop met de paperclip en schrijf uw bericht.

6. Tik tot slot op de knop **Verzenden** achter het bericht.

Wilt u een conversatie voortzetten, tik dan op de conversatie en typ uw bericht.

 MMS-bericht Stuurt u een bijlage mee met een bericht, dan wordt dit verstuurd
als mms-bericht. Meestal zijn daar hogere kosten aan verbonden dan aan een sms-
bericht.

6

E-mail

U bent online met uw tablet en natuurlijk wilt u niet alleen surfen, maar ook e-mailen en daarom staat er een e-mailprogramma op uw tablet. Sterker nog, op uw tablet treft u niet één, maar twee e-mailprogramma's aan, namelijk Gmail en E-mail. Ontdek hier hoe u berichten verstuurt en ontvangt met uw tablet.

E-mail in duplo?

Op uw tablet treft u twee programma's aan voor het ontvangen en versturen van e-mail. Het programma Gmail gebruikt u in combinatie met uw Google-account en het programma E-mail is voor uw overige accounts. Of u ook echt twee programma's gaat gebruiken voor uw e-mail, is de vraag. U hebt namelijk de mogelijkheid om met uw Gmail-account ook de e-mailberichten van maximaal vijf andere accounts op te halen en te beheren. Hebt u meer accounts of wilt u uw accounts liever niet koppelen? Gebruik dan het programma E-mail voor het ontvangen, lezen en versturen van berichten van deze accounts. En wat let u om uw Gmail-account in E-mail te gebruiken? Ook dat werkt prima.

Wilt u de berichten van uw andere accounts via Gmail ontvangen? Dat kan als dit zogenoemde POP-accounts zijn. Voor IMAP- en Exchange-accounts hebt u het programma E-mail nodig.

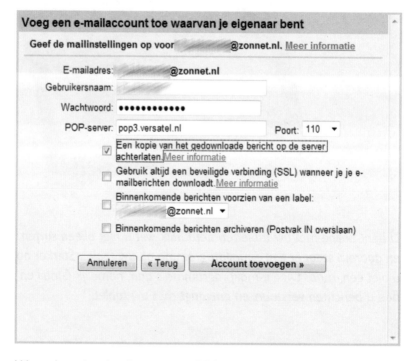

Voeg een e-mail-account toe aan uw Gmail-account.

U koppelt op de volgende manier een POP-account aan Gmail:

1. Open de browser op een computer en meld u aan bij Gmail.

2. Open Gmail en klik op het tandwiel.

3. Klik op **Instellingen**.

4. Klik op het tabblad **Accounts**.

5. Klik op de link **Je eigen POP3-mailaccount toevoegen** en vul de gevraagde gegevens in, zoals het e-mailadres, gebruikersnaam, wachtwoord en de POP3-server van dat account.

POP   Het e-mailaccount van uw internetprovider is bijna altijd een POP-account. U hebt dan uw eigen mailbox op de server van de provider. Haalt u uw berichten op met uw e-mailprogramma, dan verdwijnen de berichten op de server. Wilt u het zeker weten? Open dan uw e-mailprogramma op de computer en ga naar de accountinstellingen. U ziet daar welk type account u hebt. Of kijk dan op de website van uw provider. Daar staan instelgegevens voor uw e-mail. Ziet u *POP* of *POP3* in de servernaam, dan hebt u een POP-account. Twijfelt u, bel dan met de klantenservice. Hebt u een e-mailaccount van uw werkgever, dan is dat meestal een IMAP-account. Alle e-mail wordt afgehandeld op de server van het bedrijf.

Even spieken in Outlook welk soort account u hebt... Dat ziet u bij de account-instellingen.

Wilt u berichten verzenden vanaf het toegevoegde account? Dat is zo geregeld.

Als u wilt, kunt u ook instellen dat u vanaf dat account e-mail verstuurt met Gmail. U ontvangt dan een bericht met een verificatiecode. Klik op de link in het bericht en het account is aan Gmail toegevoegd. Voortaan ontvangt en verstuurt u de berichten van dat account ook op uw tablet.

Gmail

Met Gmail leest, schrijft en ontvangt u uw e-mail comfortabel op uw tablet. Gmail werkt onmiddellijk, want bij de eerste start van de tablet hebt u uw Google-account al aangemeld. Gmail gebruikt dit account voor de ontvangst en het versturen van e-mail. Gmail is een push-account, dus de mailserver stuurt nieuwe berichten automatisch naar uw tablet zodra ze binnenkomen. Uw tablet ontvangt de berichten, ongeacht of de app Gmail actief is of niet. Zelfs in de slaapstand komen de berichten op de tablet binnen en u krijgt een geluidsmelding om u te attenderen op het nieuwe bericht – tenzij u de optie **Blokkeerstand** hebt ingeschakeld bij **Instellingen**, dan krijgt u geen geluidsmelding. Hebt u andere accounts aan uw Gmail-account gekoppeld, dan pusht Gmail ook deze berichten naar uw tablet. Alleen als uw tablet is uitgeschakeld, ontvangt u geen e-mail.

De Gmail-widget geeft u snelle toegang tot uw berichten.

Starten U start Gmail op een van de volgende manieren:

■ Staat Gmail als snelkoppeling op het startscherm, dan tikt u op het pictogram.

■ Hebt u een Gmail-widget in het startscherm, dan tikt u op de bovenste balk of op het bericht dat u wilt openen.

■ Tik op de knop **Apps** en tik dan op de app **Gmail**.

Het startscherm van Gmail toont de mappenlijst met rechts daarvan de berichtenlijst van de actieve map.

Labels Uw berichten worden opgeslagen in verschillende mappen. **Postvak IN** ontvangt de binnengekomen berichten, in de map **Verzonden** ziet u de berichten die u hebt verstuurd en de map **Concepten** bevat de berichten die u aan het schrijven bent. Er staan nog meer mappen in de lijst. Google noemt dit echter geen mappen, maar labels.

Gmail met mappenlijst en berichtenlijst.

Mappenlijst

In de mappenlijst ziet u achter sommige mappen een getal, dit is het aantal ongelezen berichten in die map. Tik op een map om de berichtenlijst van die map te zien. U herkent ongelezen berichten in de berichtenlijst onmiddellijk aan de vet weergegeven titel.

Gmail zet berichten met hetzelfde onderwerp bij elkaar in conversaties, het getal erachter zegt uit hoeveel berichten de conversatie bestaat. Tik op een conversatie om de berichten in de conversatie te zien. Ontvangt u nieuwe berichten in een conversatie, dan wordt de titel van de conversatie vet weergegeven.

Links in de actiebalk staat naast het Gmail-pictogram de naam van de actieve map en daaronder de naam van het account. Hebt u meer accounts toegevoegd, dan staan de namen van de accounts helemaal bovenaan in de mappenbalk. U wisselt van account met een tik op de accountnaam.

Actiebalk

De actiebalk bij de mappenlijst.

Knop Omhoog   Werkt u in een programma, dan ziet u regelmatig een punthaak (<) voor het programmapictogram. Het pictogram met de punthaak heet in Android de knop **Up** of in het Nederlands de knop **Omhoog**. De knop **Omhoog** verschijnt zodra u het hoofdscherm van de app verlaat. Tikt u op de knop **Omhoog**, dan keert u terug naar het vorige (hogere) niveau van het programma.

Rechts ziet u drie knoppen, van links naar rechts zijn dat:

■ **Opstellen**   Tik hierop als u een nieuw bericht wilt schrijven.

■ **Zoeken** Tik hierop als u in uw e-mail wilt zoeken. U zoekt in alle mappen en in het hele bericht. Zoals gebruikelijk verschijnen de eerste zoekresultaten zodra u begint te typen. Eerdere zoekopdrachten ziet u terug onder het zoek-vak.

■ **Menu** Hiermee opent u het menu met de volgende opties:

■ De optie **Vernieuwen** controleert of er nog nieuwe berichten zijn. Onder normale omstandigheden hebt u deze optie in Gmail niet nodig. Gmail werkt uw e-mail automatisch bij zodra er nieuwe berichten zijn.

■ Met de optie **Labels beheren** past u de synchronisatie-instellingen aan voor elke map.

■ Met de optie **Instellingen** past u de instellingen voor Gmail aan.

■ Zijn er problemen met Gmail, dan informeert u Google met de optie **Feedback verzenden**.

■ De laatste optie **Help** is de hulpfunctie.

Knopinfo Weet u niet precies waar een knop voor dient? Houd dan uw vinger even op de knop en de naam van de knop komt tevoorschijn. Dit kunstje werkt niet bij alle knoppen, maar het is het proberen waard.

Account toevoegen

Hebt u verschillende Gmail-accounts, dan voegt u die eenvoudig toe.

1. Tik op de knop **Menu** (rechtsboven).

2. Tik op **Instellingen**.

3. Tik op de knop **Account toevoegen**. Daarmee opent u het scherm Google-account toevoegen.

4. Tik op de knop **Bestaand**.

5. Typ de gebruikersnaam en het wachtwoord en tik op de knop **Aanmelden**.

6. Pas eventueel de synchronisatie-instellingen aan voor het account en tik op de knop **Volgende**.

Hebt u meer dan één Gmail-account? Voeg ook uw andere accounts toe en wissel snel tussen de accounts.

Bepaal wat u wilt synchroniseren met uw Google-account.

Synchronisatie aanpassen U kunt de synchronisatie-instellingen van een account op elk gewenst moment wijzigen. Dat doet u bij de systeeminstellingen van uw tablet met de app **Instellingen**. Tik onder het kopje **Accounts** op het soort account – Google in dit geval – en tik dan op de naam van het account. Schakel nu de selectievakjes van de synchronisatieonderdelen in of uit naar keuze.

7. U komt terug in Gmail in het scherm **Instellingen**. U ziet nu ook het toe-gevoegde account in de lijst. U kunt voor ieder account apart de instellingen aanpassen.

8. Tik op de knop **Omhoog** in de actiebalk om terug te keren naar de mappen-lijst.

U wisselt tussen de verschillende accounts met een tik op de naam van het account bovenaan de mappenlijst. U ziet dan de bij dat account horende mappen en berich-ten.

Nieuw account U kunt natuurlijk ook een nieuw account toevoegen. Dan tikt u in stap 4 niet op de knop **Bestaand**, maar op de knop **Nieuw**. Voer daarna alle gegevens in voor een nieuw account. Het nieuwe account is dan ook direct beschikbaar in de app Gmail.

Berichtenlijst

De vermeldingen in de berichtenlijst staan in chronologische volgorde, met het nieuwste bericht bovenaan en de oudste onderaan. Een vermelding met een paper-clip geeft aan dat het bericht een bijlage heeft.

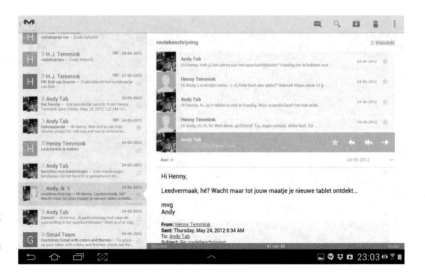

De berichtenlijst
met rechts een
geopende
conversatie.

Een conversatie staat als één vermelding in de berichtenlijst, waarbij de datum en tijd van het nieuwste bericht in de conversatie de plaats in de lijst bepaalt. Het geopende bericht is blauw gemarkeerd in de berichtenlijst en de berichtkop van een geopend bericht is ook blauw gemarkeerd.

Vernieuwen   Sleep de berichtenlijst omlaag als u de berichtenlijst wilt vernieuwen. De grens van de actiebalk en de berichtenlijst kleurt blauw en Gmail controleert of er nieuwe berichten zijn voor deze map.

■ Tik in de berichtenlijst op het bericht dat u wilt lezen. De indeling van het scherm hangt af van de stand van de tablet. In de liggende stand ziet u links de berichtenlijst en rechts het geopende bericht. In de staande stand ziet u alleen het geopende bericht.

■ U bladert naar het volgende of vorige bericht in de berichtenlijst met een horizontale veeg over het scherm. U veegt naar links om een oudere vermelding in de berichtenlijst te openen; voor een nieuwere vermelding veegt u naar rechts. Of u tikt op de gewenste vermelding in de berichtenlijst.

■ Maakt het bericht deel uit van een conversatie, dan krijgt u het meest recente bericht te zien. Daarboven staat het aantal eerder gelezen berichten. Tik op deze melding en u ziet de berichtkoppen van de andere berichten. Tik op de berichtkop als u het bericht wilt lezen. Tik nogmaals op de berichtkop om het bericht te sluiten.

Gericht aan   In de berichtenlijst ziet u pictogrammen vóór de titel van een bericht. Met gele pictogrammen merkt Gmail berichten aan als belangrijk. Een pictogram met een dubbele pijl betekent dat het bericht direct aan u is gestuurd (vak Aan). Een enkele pijl wil zeggen dat u het bericht als kopie (vak Cc:) heeft ontvangen. Staat er een leeg geel vakje of geen pictogram voor de titel, dan hebt u het bericht ontvangen als lid van een groep (vak Bcc:).

De berichtenlijst
met markeringen.

In de actiebalk bij berichten staan twee nieuwe knoppen; de overige knoppen kent u al van de actiebalk bij de mappenlijst. De nieuwe toevoegingen zijn van links naar rechts:

Actiebalk

■ **Archief** Tik hierop als u een bericht wilt archiveren.

■ **Verwijderen** Tik op de knop **Verwijderen** als u het bericht in de prullen-bak wilt plaatsen.

De actiebalk bij
berichten.

Archiveren of verwijderen?   Het verschil tussen verwijderen en archiveren is dat u een gearchiveerd bericht kunt terugvinden met een zoekactie of in de map **Alle e-mail**. Verwijdert u een bericht, dan verdwijnt het in de map **Prullenbak**. Berichten in de map **Prullenbak** worden automatisch na dertig dagen verwijderd.

■ In het menu treft u ook nieuwe opties aan. Zo kunt u spam rapporteren. U kunt hier berichten markeren als ongelezen of niet belangrijk. Met de optie **Labels wijzigen** verplaatst of kopieert u een bericht naar een andere map. Tik op de selectievakjes van de gewenste labels en tik op de knop **OK**. Schakelt u het selectievakje uit van de map waarin het bericht staat, dan wordt het bericht ver-plaatst. Selecteert u twee of meer labels, dan ziet u deze labels ook in de berich-tenlijst en u treft de berichten in de bijbehorende mappen aan.

Verwijderen? Hebt u liever een bevestigingsvraag voordat u berichten verwijdert of archiveert? Tik op de knop **Menu** en tik dan op **Instellingen**. Bij **Algemene instellingen** schakelt u het selectievakje in van de gewenste opties.

Beheren Wilt u een handeling op een aantal berichten tegelijk toepassen? Houd dan uw vinger op een bericht in de berichtenlijst, dit bericht wordt lichtblauw gemarkeerd. Zo markeert u alle berichten. In de actiebalk ziet u links de knop **Gereed** en het aantal geselecteerde berichten. Tik op een van de knoppen in de actiebalk om de gewenste actie uit te voeren. Tik tenslotte op de knop **Gereed** om de selectie op te heffen.

Berichten beheren?
Selecteer de
berichten in de lijst
en tik op een van
de knoppen.

Rechts in de actiebalk staan de knoppen **Archief**, **Verwijderen**, **Markeren als ongelezen** en **Verplaatsen**.

Selecteert u ongelezen berichten, dan verandert de knop **Markeren als ongelezen** in de knop **Markeren als gelezen**. Tikt u op deze knop, dan markeert u de geselecteerde berichten als gelezen.

Beheer Uiteraard kunt u deze acties ook op afzonderlijke berichten toepassen. U wijzigt de labels van een bericht met een tik op de labels rechts naast de titel. Wilt u een bericht als ongelezen markeren, tik dan op de knop **Menu** en tik op **Markeren als ongelezen**.

Berichten

In de berichtkop staat helemaal bovenaan het onderwerp van het bericht en rechts ziet u in welke mappen (labels) u het bericht terug kunt vinden. Tik op de labels als u deze wilt wijzigen.

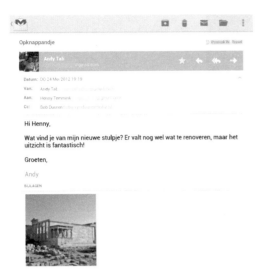

Daaronder ziet u in de blauwe balk de naam van de afzender en het e-mailadres. Rechts staat een ster en daarnaast staan de knoppen waarmee u op een bericht reageert. Tikt u op de ster, dan markeert u het bericht met een ster. U vindt deze berichten ook in de map **Met ster**. Tikt u nogmaals op de ster, dan verdwijnt de markering.

Onder de blauwe balk ziet u rechts de knop **Details**. Wijst het pijltje omlaag, dan opent u hiermee de details. U ziet hier bijvoorbeeld de datum en tijd waarop het bericht is verzonden, het gebruikte e-mailadres en anderen die het bericht hebben ontvangen (achter **Cc:**). Het pijltje wijst nu omhoog. Tik op de knop **Details** om de extra informatie te verbergen.

Als het bericht een bijlage heeft, dan staat deze onder het bericht. Tik op de bijlage als u deze wilt bekijken, dan wordt de bijlage gedownload en geopend – tenminste, wanneer uw tablet dit bestandstype kan openen. Tik op de knop **Opslaan** als u het bestand wilt bewaren. Uw tablet kan allerlei bestanden weergeven. Ontvangt u bijvoorbeeld geluidsbestanden als bijlage, dan speelt uw tablet die probleemloos af. Ook met webpagina's, tekstbestanden, spreadsheets en presentaties in de meeste gangbare bestandsindelingen kan uw tablet uit de voeten.

Ontvangt u e-mail van iemand die nog niet tot uw contactpersonen behoort? Als u deze persoon wilt toevoegen, dan doet u het volgende:

Afzender

1. Tik op het portretje in de berichtkop.

2. Tik in het venster op de knop **Contact maken**.

   ■ Wilt u het e-mailadres toevoegen aan een bestaand contact, tik dan op de knop **Best. bijwerken** en selecteer het contact waaraan u de gegevens wilt toevoegen.

3. Selecteer zo nodig het account waaraan u de persoon wilt toevoegen.

Wilt u de afzender toevoegen aan uw adresboek? Tik in de berichtkop op het portretje voor de naam.

4. Typ aanvullende informatie in de vakken.

5. Tik ten slotte op de knop **Opslaan** en de afzender is toegevoegd aan Contacten.

Komt de afzender wel voor in Contacten, maar wilt u meer informatie zien? Ook dan tikt u op het portretje voor de naam. U opent daarmee een venster met een portretje en een of meer pictogrammen. Tik op het pictogram om de bijbehorende app te openen.

◼ Met het Gmail-pictogram verstuurt u een bericht – zijn er meer e-mailadressen bekend, dan tikt u op het adres dat u wilt gebruiken.

◼ Tik op het portretje en u ziet de contactinformatie in Contacten.

◼ Is uw tablet voorzien van een simkaart en is een telefoonnummer bekend, dan ziet u het pictogram van Telefoon en kunt u het nummer bellen.

◼ Is er een adres bekend, dan ziet u het pictogram van Maps. Tik daarop als u het adres op de kaart wilt zien en eventueel een route ernaartoe wilt plannen.

Welk programma wilt u openen? Tik op het bijbehorende pictogram.

Bericht versturen

Met de knoppen in de berichtkop reageert u op een bericht. De knoppen hebben de volgende functies: beantwoorden, allen beantwoorden en doorsturen.

Tikt u op de knop **Beantwoorden** of **Allen beantwoorden,** dan opent u een nieuw bericht, de geadresseerde(n) en het onderwerp zijn al ingevuld.

Beantwoordt u een bericht, dan is de geadresseerde al ingevuld.

- Onderaan ziet u twee knoppen: **Geciteerde tekst** en **Inline beantwoorden**.

- Standaard is het selectievakje voor **Geciteerde tekst** ingeschakeld. De tekst van het originele bericht is onderaan toegevoegd.

- Wilt u de originele tekst niet meesturen? Schakel dan het selectievakje uit voor **Geciteerde tekst**.

- Wilt u uw antwoorden in het originele bericht opnemen? Dat is handig als u vragen beantwoordt of commentaar wilt invoegen. Tik dan op de knop **Inline beantwoorden**.

- Typ uw reactie en verstuur die met een tik op de knop **Verzenden**.

Natuurlijk kunt u ook extra geadresseerden toevoegen, zowel in het vak **Aan, Cc** als **Bcc**. Tik gewoon in het gewenste vak en typ het e-mailadres. Tijdens het typen ziet u – zoals gebruikelijk – de eerste suggesties verschijnen.

Wilt u het bericht doorsturen tik dan op de knop **Doorsturen**. U hoeft nu alleen het e-mailadres van de geadresseerde in te vullen. Uiteraard kunt u ook uw eigen tekst toevoegen aan het bericht.

Nieuw bericht

Tik op de knop **Opstellen** in de actiebalk als u een e-mailbericht wilt schrijven. Hiermee opent u een nieuw bericht. Tik in het veld **Aan** en typ het e-mailadres. Terwijl u typt, verschijnen de suggesties van e-mailadressen die u eerder hebt gebruikt of die in Contacten staan. Tik op een suggestie om het e-mailadres in te vullen. U mag in het veld **Aan** meer adressen invullen. Adressen worden gescheiden door een komma, die automatisch wordt toegevoegd.

Typ het e-mailadres of tik op een van de suggesties.

Wilt u iemand een kopie sturen, tik dan op **Cc/Bcc** achter het vak **Aan**. Daarmee opent u de vakken **Cc** en **Bcc**. Typ het e-mailadres in het gewenste vak.

Zichtbaar of niet   E-mailadressen die u invoert in het vak **Cc** zijn ook voor de andere ontvangers zichtbaar (met een tik op de knop **Details**). Voegt u geadresseerden in het vak **Bcc** toe, dan zijn die niet zichtbaar voor anderen. Cc staat voor carbon copy – een term die nog stamt uit de tijd van typemachines en doorslagpapier. De ontvangers van een cc (doorslag of kopie) stonden boven aan het document vermeld. Bcc staat voor blind carbon copy, deze ontvangers kregen altijd een kopie, maar werden nooit vermeld op het document.

Groepsmail versturen   Verstuurt u een bericht aan een groep mensen? Zet dan niet alle e-mailadressen in het vak **Aan**. Het is gebruikelijk om de e-mailadressen van een groep mensen in het vak **Bcc** te zetten. Zet uw eigen e-mailadres in het vak **Aan**. Immers, lang niet iedereen is ervan gediend dat alle ontvangers van het bericht hun e-mailadres te zien krijgen.

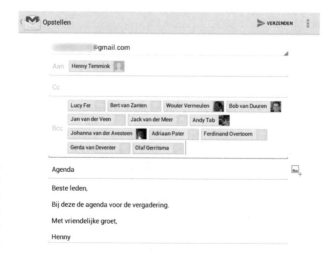

Stuurt u een groep personen een bericht? Maak dan niet alle e-mailadressen wereldkundig.

Hebt u verschillende accounts, tik dan op het veld **Van** en selecteer het account dat u wilt gebruiken om het bericht te versturen.

Afzender   Hebt u ingesteld dat u berichten verstuurt met een aan Gmail toege-voegd account? Dan verschijnt dat e-mailadres als afzender in uw verzonden berichten. Tenzij de ontvanger werkt met Outlook, daar gaat het trucje niet op. Daar staat uw Gmail-adres als afzender in het vak **Van** met de toevoeging: namens *uw_naam<uw_toegevoegde_e-mailadres>*.

Typ het onderwerp van het bericht en daarna het bericht.

Wilt u een bijlage meesturen, tik dan op het pictogram achter het onderwerp. Selecteer dan de app waarvan u een bijlage wilt meesturen en tik op het gewenste bestand. Wilt u bijvoorbeeld een foto meesturen? Tik dan op Galerij en tik op de gewenste foto.

Hebt u een handtekening ingesteld, dan verschijnt die automatisch onder het bericht. Tik op de knop **Verzenden** om het bericht te verzenden.

Handtekening

Met vriendelijke groet,

Henny

Annuleren   OK

Een handtekening is een afsluitende tekst onder uw berichten.

Handtekening   Een handtekening is niets anders dan een standaardmelding die onder elk bericht wordt geplaatst. U kunt voor elk account een eigen handtekening instellen. Tik op de knop **Menu**, tik op **Instellingen** en tik dan op het account waarvoor u een handtekening wilt opgeven. Tik op de laatste optie **Handteke-ning**. Typ de melding en tik op de knop **OK**.

Wilt u het schrijven van het bericht onderbreken, tik dan op de knop **Menu, Con-cept opslaan**. U vindt het bericht terug in de map Concepten. Aan het nummer achter de map Concepten ziet u hoeveel concepten er zijn.

Een kopie van verzonden berichten komt automatisch terecht in de postbus **Ver-zonden**.

Account verwijderen   Wilt u een Google-account van uw tablet verwijderen? Open de app **Instellingen** en tik onder het kopje **Accounts** op **Google**. Tik op het account dat u wilt verwijderen en tik op de knop **Wis account**. Het account en de bijbehorende gegevens verdwijnen van uw tablet. Het account zelf blijft natuurlijk gewoon bestaan. Uw e-mail en andere gegevens zijn veilig opgeslagen op de servers van Google.

E-mail

Het grootste verschil tussen de apps E-mail en Gmail is dat E-mail uw berichten ophaalt bij de mailserver, terwijl Gmail berichten naar uw tablet pusht. Wat betreft de bediening zijn de programma's vrijwel gelijk, hoewel er wat uiterlijke verschillen zijn.

Zo ziet u voor ieder bericht in de berichtenlijst een selectievakje waarmee u met een tik berichten kunt selecteren. In de actiebalk staat de knop **Vernieuwen** waarmee u kunt controleren of er nieuwe berichten zijn. En in de berichtenlijst hebben ongelezen berichten een lichte achtergrond en gelezen berichten een grijze achtergrond.

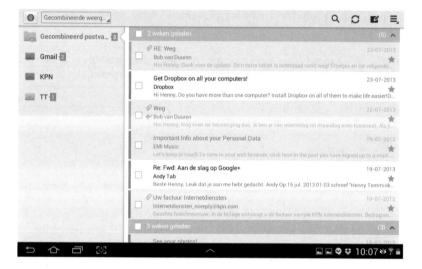

Voor elk account hebt u in E-mail aparte mappen, maar u kunt alle berichten bekijken in het gecombineerde Postvak IN.

Gebruikt u in E-mail meer dan één account? Gebruik dan de gecombineerde weergave. U ziet daarin de binnengekomen berichten van alle accounts. U ziet aan de kleurmarkering bij welk account een bericht hoort. Elk account heeft een eigen kleur. U kunt met de knop **Weergave** (links op de actiebalk) overigens snel tussen de verschillende weergaven en accounts wisselen.

Niet bladeren In de app Gmail veegt u over het scherm om door de berichten te bladeren. In de app E-mail gebruikt u de berichtenlijst of de knoppen **Vorige** en **Volgende** onderaan het bericht om door de berichten te bladeren.

Als u de app E-mail voor de eerste keer start, moet u eerst een account toevoegen. Dit is de informatie die nodig is om contact met een mailserver op te nemen om uw e-mail op te halen of te verzenden. U hebt hier minstens uw e-mailadres en wachtwoord voor nodig. Mocht de wizard er niet uitkomen, dan hebt u ook de naam van de server nodig en eventueel uw gebruikersnaam. U kunt de benodigde instellingen (behalve het wachtwoord) ook afkijken van uw e-mailprogramma op de computer (bij de accountinstellingen). Komt u er niet uit, dan kan uw provider u zeker helpen aan de juiste instellingen.

Voordat u een account instelt, is het handig te weten welk type account u hebt. E-mail kan drie soorten accounts toevoegen:

■ **IMAP**   Bij een IMAP-account wordt uw e-mail beheerd op de mailserver. U bekijkt, beantwoordt, stuurt door of verwijdert de berichten vanaf de server. Bekijkt u een bericht, dan stuurt de server u een kopie en markeert het bericht op de server als gelezen. Het bericht blijft echter op de server staan totdat u het verwijdert. Omdat de berichten op de server staan, kunt u de e-mail die u onderweg leest, later ook op een andere computer bekijken. Als bij uw account ook een adresboek, agenda en notities horen, dan zijn deze ook op de server opgeslagen.

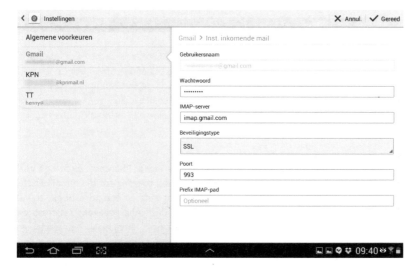

Gmail als IMAP-account in E-mail.

Voordelen   Het gebruik van IMAP op een mobiel apparaat heeft een aantal voordelen. Hebt u op de server uw e-mail in verschillende mappen ondergebracht, dan staan deze mappen ook ter beschikking op uw tablet. Leest u onderweg op uw tablet uw e-mail en sorteert u deze in mappen, dan is dat al gedaan als u later op kantoor uw computer aanzet. Met een POP-account zult u dat nogmaals moeten doen…

■ **POP**   Op veel computers is POP de standaardinstelling. POP staat voor *Post Office Protocol* en dit protocol is bijna net zo oud als e-mail. Elke gebruiker heeft op de mailserver een mailbox voor de opslag van de binnenkomende e-mail en de uitgaande berichten. De mailbox van een POP-account heeft een beperkte omvang. Haalt u uw e-mail op, dan wordt de e-mail van de server gewist. In principe bewaart u berichten, concepten, het adresboek en dergelijke op uw eigen computer, de mailserver fungeert slechts als tussenstation.

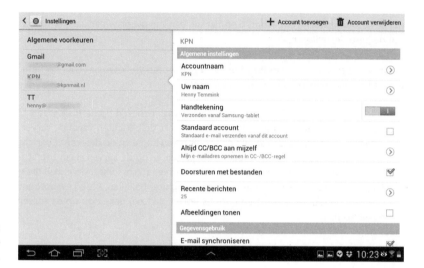

De instellingen voor het POP-account KPN.

Postbus leeg?   Haalt u uw e-mail van een POP-account thuis op, dan kunt u de berichten niet op kantoor bekijken. Wilt u op verschillende computers of plaatsen uw e-mail kunnen lezen, stel dan in dat een kopie op de server moet blijven staan. Daarmee moet u natuurlijk wel oppassen, want gebruikt u die instelling overal, dan is uw mailbox in no time vol. Leeg in dat geval de mailbox via webmail, anders kunt u geen nieuwe berichten ontvangen.

■ **Exchange ActiveSync**   In het bedrijfsleven wordt Microsoft Exchange veel gebruikt. Dit account biedt veel meer dan alleen toegang tot uw e-mailberichten. Bij het account hoort meestal ook een agenda en een adresboek, zowel persoonlijk, per afdeling en voor het hele bedrijf. Alle gegevens staan op de Exchange-server. Met de instelwizard kunt u ook gemakkelijk een Exchange ActiveSync-account instellen. Zijn er aanvullende instellingen nodig, dan zult u de systeembeheerder moeten raadplegen.

E-mail heeft een instelwizard die u helpt uw account in te stellen. Dit werkt voor de meeste gevallen. Hebt u speciale instellingen nodig, dan kunt u het account ook geheel of gedeeltelijk handmatig instellen. Stelt u een POP-account in, dan laat de tablet standaard een kopie achter op de server.

Naam   Standaard krijgt elk account het e-mailadres als naam. Vindt u dat te lang of onhandig? Geef het account dan gewoon een eigen naam. U kunt dat doen tijdens het instellen of achteraf bij de instellingen van het account.

Een account instellen

Bij de eerste start moet u een account instellen en start u automatisch bij het instellen van een nieuw account. Wilt u later een nieuw account toevoegen of een account bewerken?

1. Tik op de knop **Menu** en vervolgens op **Accountinstellingen**.

2. Geeft uw e-mailadres en het bijbehorende wachtwoord.

Een account toe-
voegen met de
wizard werkt voor
de meeste
accounts, ook
voor Gmail!

3. Tik op de knop **Volgende** of tik op **Handmatig instellen** als u meer gege-
    vens moet opgeven.

4. Als de wizard niet de juiste instellingen kan bepalen, wordt u gevraagd de juiste
    gegevens op te geven.

5. Voor een Exchange-account moet u ook wat andere zaken opgeven, zoals hoe
    vaak u wilt controleren op nieuwe e-mail en hoe lang u uw berichten wilt bewa-
    ren op uw tablet. Verder geeft u op of u uw agenda en contacten van Exchange
    met uw tablet wilt synchroniseren.

6. Hebt u alle gegevens opgegeven, tik dan op de knop **Gereed**. De app begint
    direct met het downloaden van uw berichten.

Hebt u meer dan één account ingesteld, dan hebt u voor elk account een eigen tabblad met instellingen. Tik op het account dat u wilt wijzigen.

On the road   Bent u onderweg, dan is het slim om de controlefrequentie laag in
te stellen. Daarmee bespaart u energie zodat u langer met uw tablet kunt werken.
Stel desnoods de frequentie in op **Nooit**. U haalt de nieuwe berichten dan handmatig op met een tik op de knop **Vernieuwen**.

Bij de algemene
instellingen voor
een account stelt u
in met welke fre-
quentie uw tablet
controleert of er
nieuwe berichten
zijn.

Met Gmail en E-mail hebt u twee programma's voor dezelfde taak. Meestal kunt u
het ook prima af met één programma. Bekijk rustig met welk e-mailprogramma u
het prettigst werkt. Vindt u E-mail met de gecombineerde weergave prettig werken? Voeg dan uw Gmail-account toe in E-mail. Daarvoor moet u online de instel-

lingen van Gmail aanpassen. Dat gaat niet met uw tablet, dus start de browser op uw computer en meld u aan bij uw Gmail-account. Klik op **Instellingen** en klik op **Doorsturen en POP/IMAP**. Schakel hier de optie **Downloaden via POP** en/of de optie **IMAP-toegang** in. Nu kunt u op uw tablet uw Gmail-account met de instelwizard toevoegen aan E-mail. Werkt u liever met Gmail? Voeg dan uw POP-account toe aan uw Google-account. Het is maar net waar uw voorkeur naar uit-gaat.

7

Kantoor

Natuurlijk mag een agenda niet ontbreken. Hier slaat u uw afspraken op en houdt u uw planning bij. Uw tablet herinnert u aan afspraken, verjaardagen, feestdagen en andere belangrijke gebeurtenissen. Notities maakt u met de app Notitie of S Note, maar voor grotere documenten, spreadsheets en presentaties hebt u de app Polaris Office. Ontdek hoe uw tablet ook voor het serieuze werk inzetbaar is.

S Planner

In S Planner noteert u uw afspraken en activiteiten en voorziet u deze van notities. In S Planner bent u overigens niet beperkt tot één agenda. U hebt er tenminste twee, namelijk Mijn agenda en de agenda die bij uw Google-account hoort. Mijn agenda wordt op uw tablet opgeslagen, net als de taken in Mijn taak. De activiteiten in Mijn agenda en de taken die u in S Planner maakt, worden niet gesynchroniseerd met uw Google Agenda. Die zult u zelf moeten synchroniseren met uw computer, bijvoorbeeld met het programma Kies.

S Planner kan verschillende agenda's beheren. Aan het gekleurde vakje herkent u bij welke agenda een activiteit hoort.

U krijgt automatisch alle agenda's te zien die gekoppeld zijn aan de accounts die u aan uw tablet hebt toegevoegd, tenzij u bij de instellingen anders hebt aangegeven.

Elke agenda heeft een eigen kleur, daaraan herkent u direct bij welke agenda een activiteit hoort. Voor de agenda van uw Google-account kunt u de kleuren aanpassen, maar dat werkt alleen als u vanuit de browser uw Google-agenda opent en daar de kleuren aanpast. Hebt u verjaardagen ingevuld in Contacten, dan ziet u ook de verjaardagen in de agenda.

Agenda bekijken

Als u S Planner opent, ziet u in de actiebalk links de knoppen voor de weergave: **Jaar**, **Maand**, **Week**, **Dag**, **Lijst** en **Taak**. De witte balk onder de naam geeft de huidige weergave aan. Rechts in de actiebalk staan de knoppen **Zoeken**, **Nieuwe afspraak** en **Menu**. In het menu treft u in elk geval de opties **Ga naar**, **Wissen**, **Synchroniseren** en **Instellingen**. Afhankelijk van de gekozen weergave ziet u hier meer opties. Bij de weergaven **Week**, **Dag**, **Lijst** en **Taak** ziet u hier ook de optie **Bedieningselementen weergeven** (of **verbergen**). Deze bedieningselementen zijn een kalender en een lijst met afspraken voor de geselecteerde datum. Met de kalender navigeert u snel naar een andere datum. Bij de weergave **Lijst** is de lijst met afspraken vervangen door een lijst met agenda's, maar deze laat helaas niet van alle agenda's ook de kleuren zien.

De weergave maand in de liggende stand, rechts ziet u de lijst met activiteiten voor de geselecteerde dag.

Rechts in beeld op de agenda staan ook de knoppen **Vandaag** en **Agenda's**. Met de knop **Vandaag** springt u naar de huidige datum, de knop **Agenda's** toont de gekoppelde agenda's – met de bijbehorende kleur – en hier schakelt u met het selectievakje de weergave van agenda's in of uit.

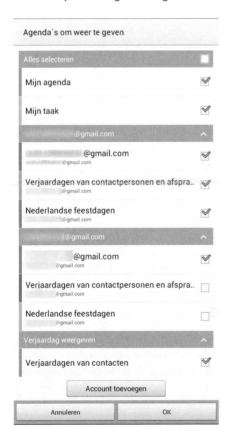

Selecteer welke agenda's u wilt zien met de knop Agenda.

Synchronisatie   S Planner op uw tablet werkt met de agenda's van uw Google-account(s) en de Microsoft Exchange agenda's. Met deze agenda's synchroniseert u probleemloos en draadloos. U kunt geen nieuwe agenda maken op uw tablet. U voegt een nieuwe agenda op de computer toe aan uw account. Daarna is de agenda beschikbaar op uw tablet. Vervolgens bepaalt u bij de instellingen van S Planner welke agenda's (van welke accounts) u op uw tablet wilt gebruiken. Bij de eerste synchronisatie worden agenda-items van de vorige maand tot een jaar in de toekomst op uw tablet gezet. Daarna blijven de afspraken en gebeurtenissen steeds tot een jaar vooruit gesynchroniseerd.

Navigatieknoppen ontbreken. Eerlijk gezegd, die hebt u ook niet nodig: veeg maar over het scherm!

Navigatie   In de weergave **Dag** veegt u naar rechts om naar de vorige dag te gaan en naar links om naar de volgende dag te gaan. In de weergave **Week** schuift u zo een week op. En in de weergaven **Maand** en **Jaar** is het al niet anders. In de weergave **Lijst** veegt u omhoog of omlaag om door de lijst te scrollen en dat doet u ook bij **Taak**.

Tik op de gewenste datum op de kalender om daar naartoe te springen. Veegt u in de kalender omhoog of omlaag, dan schuift u maanden op.

De weergave Dag
in de staande
stand.

Snel wisselen   Knijp eens, ofwel, zet twee vingers op het scherm en breng ze naar elkaar toe. U wisselt naar de volgende, minder gedetailleerde weergave, dus van dag naar week of van week naar maand. En spreid uw vingers op het scherm voor de omgekeerde weg, dus om naar de volgende, meer gedetailleerde weergave te gaan.

Tik op een activiteit om de details te zien. Tik op de knop **Verwijderen** als u de activiteit wilt laten vervallen of tik op de knop **Bewerken** om de afspraak aan te passen. Tik buiten het venster om terug te keren naar de weergave.

Bekijk de details van een afspraak met een tik op de activiteit.

Tijdzones   S Planner kent tijdzoneondersteuning. Schakelt u die in, dan toont S Planner de datums en tijden van activiteiten in de tijdzone van de stad die u hebt geselecteerd. Schakelt u tijdzoneondersteuning uit, dan worden alle activiteiten weergegeven met de lokale datum en tijd, gebaseerd op uw locatie en de netwerktijd.

De weergave Lijst.

Activiteit toevoegen

S Planner kent drie soorten activiteiten, een afspraak (gebeurtenis), een taak en een handgeschreven notitie (alleen op de Note en de Tab 3). De taken en handgeschreven notities kunt u niet synchroniseren met uw Google Agenda! Maakt u een afspraak, dan selecteert u eerst de agenda waaraan u de afspraak wilt toevoegen. Let op, u kunt dit niet achteraf wijzigen. Maakt u een afspraak in uw Google Agenda, dan verschijnt deze even later ook in de agenda op de server, net als wijzigingen die u aanbrengt in deze agenda.

Voeg een nieuwe
activiteit toe met
een tik op de knop
Nieuwe afspraak.

Zo voegt u een activiteit toe aan de agenda:

1. Houd uw vinger op de plaats in de agenda waar u de activiteit wilt toevoegen of tik op de knop **Nieuwe Afspraak**. Daarmee opent u het toetsenbord en het afspraakformulier. De datum en de tijd zijn al ingevuld.

2. Controleer of in het vak **Agenda** de juiste agenda wordt weergegeven. Is dat niet het geval, tik dan op het vak en tik op de gewenste agenda.

3. Typ in het vak **Titel** een naam voor de afspraak.

4. Controleer bij Van en Tot of de juiste datum en tijd is ingesteld. Tik op een datum en/of een tijd als u deze wilt wijzigen.

5. Pas zo nodig de tijdzone aan.

6. Duurt de activiteit de hele dag (of langer), schakel dan het selectievakje **Hele dag** in.

7. Bij **Herhaling** geeft u op of het gaat om een eenmalige afspraak of niet. Tik op het vak om de mogelijkheden te zien. Is het een terugkerende afspraak, tik dan op de gewenste frequentie.

Herhalen	Eenmalig agenda-item ◢
	Eenmalig agenda-item
Herinnering	Dagelijks
	Elke werkdag (ma-vr)
Plaats	Wekelijks (elke Vrijdag)
Omschrijving	Om de 2 weken (Vrijdag)
	Maandelijks (elke eerste Vrijdag)
Deelnemers	Maandelijks (op dag 2)
Geef mij weer als	Jaarlijks (op 2 Augustus)

Maakt u een eenmalige afspraak of is het een regelmatig terugkomende activiteit?

Een of meer Wijzigt u later een herhalende activiteit, dan kunt u kiezen of u alleen die ene afspraak wilt wijzigen, alle afspraken of deze en alle toekomstige afspraken.

8. Stel een herinnering in als u een melding wilt krijgen voor het begin van de activiteit. Tik in het vak **Herinnering** en selecteer hoe lang van te voren u de melding wilt ontvangen.

- ■ Tik op de knop **Annuleren** (de rode knop met het minteken) achter het veld om de herinnering te wissen.

- ■ Tik op de knop **Toevoegen** (de groene knop met het plusteken) als u een extra herinnering wilt toevoegen.

Alarm Krijgt u een herinnering voor een activiteit, tik dan op de melding om deze af te handelen. U kunt het alarm na vijf minuten laten herhalen of de herinnering uitschakelen. De afspraak blijft natuurlijk wel gewoon in de agenda staan.

9. Typ de locatie in het vak **Plaats**.

10. In het vak **Omschrijving** typt u een beschrijving van de activiteit.

Als u de activiteit toevoegt aan uw Google Agenda, dan kunt u gasten uitnodigen en bepalen of de activiteit privé is, openbaar of voldoet aan een sjabloon.

1. Typ in het vak **Deelnemers** de e-mailadressen van degenen die u wilt uitnodigen of tik op het pictogram Contacten om deelnemers te selecteren. Gebruiken degenen die u uitnodigt ook Google Agenda? Dan ontvangen zij de uitnodiging in de agenda en per e-mail.

2. Hebt u alles ingevuld, tik dan op de knop **Gereed**.

Hebt u mensen uitgenodigd? Dan verschijnt kort de melding **Uitnodigingen verzonden** in beeld. De genodigden kunnen reageren met **Ja**, **Mogelijk** en **Nee**. Deze reacties ontvangt u automatisch – en onmiddellijk. Beschikken de genodigden

Uitnodiging

157

over Google Agenda, dan kunnen ze ook de uitnodiging accepteren vanuit de agenda. Beschikt de genodigde niet over Google Agenda, dan kan de afspraak met de bijlage aan vrijwel iedere agenda worden toegevoegd.

Wie kaatst, moet de bal verwachten. Stuurt u uitnodigingen voor een activiteit, dan ontvangt u er waarschijnlijk ook een paar.

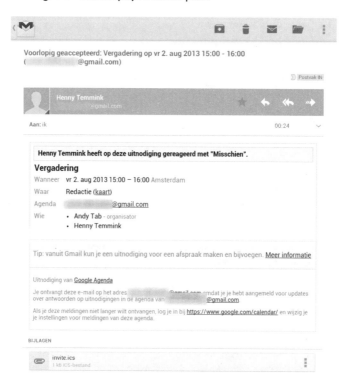

U ontvangt de reacties op uw uitnodiging per e-mail en u ziet ze ook in de agenda.

1. De uitnodiging verschijnt in uw agenda, u ontvangt ook een e-mail met de uitnodiging. Tik op de activiteit om de uitnodiging te bekijken.

2. Tik op de knop **Details**.

3. Tik op **Ja** om de uitnodiging te accepteren, tik op **Mogelijk** als u het nog niet weet en tik op **Nee** om de invitatie af te slaan.

Uitnodiging afhandelen.

4. Tik op de knop **Gereed** om uw reactie te versturen.

5. De organisator ontvangt uw reactie per e-mail en in de agenda.

Als u het makkelijker vindt, kunt u dit ook met het e-mailbericht afhandelen. Het resultaat is hetzelfde.

Instellingen? De agenda kent niet zo veel instellingen en de meeste instellingen spreken voor zich. Tik op de menuknop en tik op **Instellingen**. De instellingen voor herinneringen vindt u op het tabblad **Melding agenda-item**.

Notitie

Met uw tablet hebt u altijd een notitieblok bij u en hoeft u nooit meer te zoeken naar een – werkende – pen. U gebruikt gewoon de app Notitie en noteert die geniale inval voordat u hem weer vergeet. Daarbij gebruikt u het toetsenbord, uw stem of schrijf met uw vinger op uw tablet. Naar opmaak en vormgeving zult u in Notitie vergeefs zoeken, daarvoor gebruikt u een tekstverwerker.

Als u de app Notitie opent, krijgt u automatisch de laatste notitie te zien waaraan u hebt gewerkt. Tik op de knop **Omhoog** (uiterst links in de actiebalk) in de notitie en u ziet de aanwezige notities op een prikbord. In de actiebalk ziet u links het aantal notities, rechts staan de knoppen **Zoeken**, **Lijst**, **Toevoegen**, **Wissen** en **Menu**. Met de knop **Lijst** wisselt u van weergave en de knop verandert dan in de knop **Miniatuurweergave**.

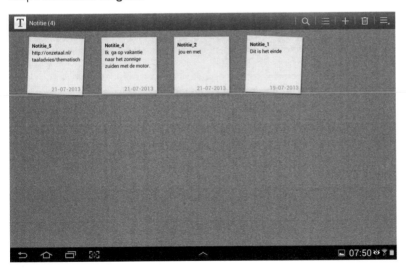

Het prikbord met notities.

Zoeken Vanuit de lijst of miniatuurweergave kunt u zoeken in uw notities. Typ een zoekterm en u ziet de notities die daaraan voldoen. Echter, de inhoud van vergrendelde notities wordt niet doorzocht!

Nieuwe notitie

Tik op de knop **Toevoegen**, daarmee krijgt u een lege notitie en komt het toetsenbord tevoorschijn. Schrijf of dicteer uw notitie. Hoe u dat doet, hebt u al ontdekt in hoofdstuk 3. Of open een bestaande notitie. Tik in de notitie om het toetsenbord tevoorschijn te roepen.

Een nieuwe notitie. Met de knop rechts achter de titel opent u een werkbalk.

Tik op **Titel invoeren** en geef uw notitie een titel. Doet u dat niet, dan krijgt de notitie de naam *Notitie (x)*, waarbij x een volgnummer is. Rechts van de titel staat een knop. Tik daarop om de werkbalk met mogelijkheden voor de notitie te openen. U ziet van links naar rechts de knoppen **Verwijderen**, **Kleur**, **Vergrendelen**, **Afdrukken**, **Delen** en **Werkbalk sluiten**.

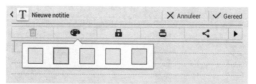

De werkbalk met opties voor uw notities. Met het palet kiest u een achtergrond.

Met de knop **Kleur** kiest u een andere achtergrondkleur voor uw notitie en met de knop **Vergrendelen** stelt u een pincode in om de notitie onleesbaar te maken. U moet de pincode invoeren voordat u de notitie kunt lezen. Handig als u plannen maakt voor een verrassingsfeestje voor een huisgenoot, zo kan het echt een verrassing blijven.

Vergrendelde notities zijn onleesbaar zonder de pincode.

Schrijf uw notitie en tik op de knop **Gereed** om de notitie op te slaan. De functies zoals verwijderen, delen en zoeken kent u nu wel, dus die worden verder niet besproken.

Afdrukken   Wilt u notities, foto's of andere documenten afdrukken? Dat werkt alleen met een Samsung-printer. Hebt u een ander merk printer, kijk dan eens in de Play Store of er voor uw printer misschien een app is waarmee u kunt afdrukken. Of sla de items op in Dropbox en open ze op de computer als u ze wilt afdrukken.

S Note

Hebt u de Galaxy Note, dan hebt u de app S Note op uw tablet in plaats van Notitie. S Note is een uitgebreidere versie van Notitie die is toegesneden op het gebruik van de S Pen. Deze app kent sjablonen voor verschillende toepassingen, waarmee u snel een notitie met een vooraf gedefinieerde opmaak maakt. U treft de volgende sjablonen aan:

- **Notitie/Vrije opmerking**   Een lege pagina voor een eenvoudige notitie.

- **Notitie vergadering**   Maak notities tijdens een vergadering of lezing.

- **Tijdschrift**   Maak een multimedianotitie door extra bestanden toe te voegen.

- **Dagboek**   Hiermee legt u een fotodagboek aan.

- **Recept**   Noteer uw eigen recepten.

De sjablonen van S Note.

- ■ **Reizen**   Houd een reisverslag bij.

- ■ **Liggende notitie**   Schrijf een notitie in de liggende stand.

- ■ **Verjaardag**   Maak een verjaardagskaart.

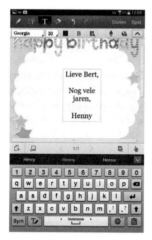

Instant verjaardags-
kaart, alleen nog
een persoonlijke
tekst toevoegen.

Notitie
maken

Tik op de sjabloon van uw keuze en u opent een nieuwe notitie. Even een rondgang langs de knoppen. U wisselt de invoermodus met de eerste vier knoppen links in de actiebalk. Op de balk daaronder verschijnen de knoppen die bij de gekozen invoer-modus horen. Van links naar rechts:

- ■ **Tekenen**   Gebruik de S Pen of uw vinger om op de tablet te tekenen. Met de knoppen op de balk eronder stelt u het tekengereedschap in, zoals de soort pen, kleur en pendikte.

Een lege notitie,
maar met veel
knoppen.

■ **Productiviteit** Er zijn drie productiviteitsprogramma's, namelijk vormen converteren die u hebt getekend, een handgeschreven formule omzetten in een drukklare formule en een handgeschreven notitie met handschriftherkenning omzetten in tekst.

■ **Tekst** Met een tik op deze knop komt het toetsenbord tevoorschijn.

■ **Gum** Het gum gebruikt u om fouten ongedaan te maken, u kunt zowel getypte tekst als tekeningen uitgummen. U wist de hele notitie met een tik op de knop **Wis alles**.

Midden in de actiebalk staan de knoppen **Ongedaan maken** en **Opnieuw**. Gebruik de knop **Sluiten** als u de notitie wilt sluiten zonder deze op te slaan. Tik op de knop **Opslaan** om de notitie te bewaren.

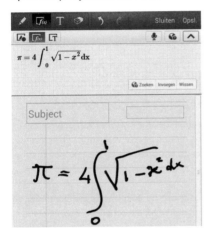

Van hanenpoten naar keurige integraalformule. Tik op de knop Invoegen om de formule in de notitie op te nemen.

Met de knoppen rechts onder de actiebalk hebt u de volgende mogelijkheden:

■ **Opnemen** In de tekenmodus kunt u hiermee een schets opnemen. Tik op de knop om de opname te starten, teken wat u wilt en tik daarna op de knop om de opname te stoppen. Tik onderaan op de knop **Weergave** en tik dan bovenin op de afspeelknop. De tekening verschijnt in uw notitie. Leuk voor een presentatie.

■ **Spraakopname** Maak een spraakopname en voeg deze in.

■ **Internet** Zoek naar informatie op een vooraf ingestelde webpagina.

De knop uiterst rechts verbergt de werkbalk.

De knoppen op de onderste balk zijn van links naar rechts:

■ **Bewerken/Weergave** Hiermee wisselt u van de weergavestand naar bewerken en terug.

■ **Invoegen** Met deze knop voegt u een multimediabestand in.

■ **Navigatie**   De knoppen in het midden gebruikt u om door een notitie met meer pagina's te bladeren.

■ **Pagina invoegen**   Voegt een pagina toe aan de huidige notitie.

■ **S Pen**   Alleen met de S Pen tekenen.

Standaard worden uw notities gesynchroniseerd met uw Samsung-account. Tik op de menuknop en tik op **Instellingen**, **Accounts** als u wilt synchroniseren met bijvoorbeeld Google Docs of Evernote.

Verder zult u in het menu (openen met de menuknop) een aantal bekende opties tegenkomen, zoals delen, verwijderen, zoeken en sorteren. Deze functies spreken voor zich en blijven verder onbesproken. Met de optie **Importeren** in het menu importeert u notities in de vorm van een PDF-bestand of een afbeelding. Andersom kunt u ook notities exporteren als afbeelding of PDF-bestand. En wilt u meer leren van S Note, kijk dan eens in het menu bij Help, daar krijgt u S Note aardig onder de knie met interactieve filmpjes.

Interactieve filmpjes leren u hoe u bepaalde taken in S Note uitvoert.

Polaris Office

Polaris Office is een app waarmee u documenten maakt en bewerkt, zoals spreadsheets, presentaties en teksten. U kunt documenten bewerken die op uw tablet zijn

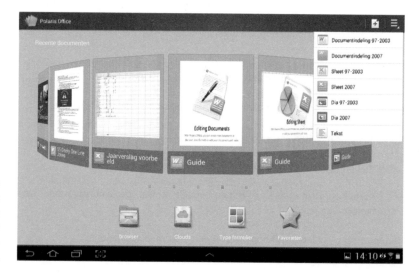

Het startscherm van Polaris Office en de beschikbare bestandsindelingen voor nieuwe documenten.

opgeslagen of in de cloud. U ontdekt hier hoe u met deze app uw documenten kunt afmaken, verbeteren of opstellen in de vertrouwde bestandsindelingen van Microsoft Office.

In het startscherm van Polaris ziet u rechtsboven staan de knoppen **Nieuw document** en **Menu**. Daaronder ziet u de onlangs geopende documenten, in eerste instantie zijn dat drie standaarddocumenten. Als er meer documenten zijn dan op het scherm passen, sleep dan over de documenten naar links of naar rechts. Het aantal punten toont het aantal documenten op het scherm.

Onder de documenten staan vier knoppen:

■ Browser Hiermee kunt u zoeken naar documenten op uw tablet of in de cloud.

■ Clouds U gebruikt deze knop om een account voor cloudopslag toe te voegen of te verwijderen.

■ Type formulier Met deze knop stelt u in welk type document u wilt zien.

■ Favorieten U kunt een document markeren als favoriet met een tik op de ster achter de naam. Met een tik op deze knop ziet u een lijst met uw favoriete documenten.

In de browser ziet u in de actiebalk de knoppen **Zoeken**, **Nieuw bestand**, **Nieuwe map** en **Menu**. Wilt u een nieuwe map toevoegen, ga dan in de linkerkolom naar de plaats waar de nieuwe map moet komen en tik op de knop **Nieuwe map**. Geef de map een naam, bijvoorbeeld *Documenten*.

Browser

De browser gebruikt u om uw documenten te beheren.

Tikt u op de knop **Nieuw bestand**, dan kiest u eerst de gewenste bestandsindeling voor het nieuwe document. Maak daarna uw keuze uit de sjablonen en u kunt aan de slag met uw nieuwe document.

In de browser ziet u links een lijst met mappen en rechts de inhoud van de geselecteerde map. Dat kunnen mappen, bestanden of beide zijn. Voor elk item staat een selectievakje. Tik op het selectievakje voor een bestand of map als u het item wilt kopiëren, verplaatsen of verwijderen. Natuurlijk kunt u meer dan één item selecteren. Bent u klaar met selecteren, tik dan op de bijbehorende knop in de actiebalk. U kunt een bestand ook versturen per e-mail of Bluetooth. Schakel het selectievakje in van dit bestand en tik op de knop **Zenden** (pijl naar rechts).

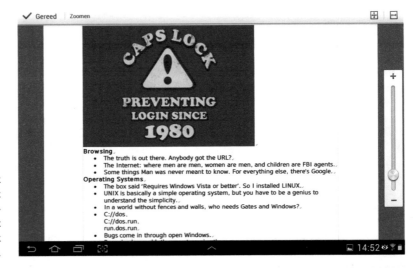

De actiebalk van de browser heeft andere pictogrammen als u bestanden selecteert.

Document openen

Staat het document waaraan u wilt werken bij de recente documenten, tik er dan op om het te openen. Staat het document er niet tussen, dan tikt u op de knop **Browser**. Daarmee bekijkt u standaard de bestanden op uw tablet. Tik op de knop met de vermelding **Browser** in de actiebalk en u ziet de accounts die u hebt toegevoegd. Tik op het gewenste account of tik op **Browser** als het document op uw tablet staat. Ga naar de juiste map en tik op het document dat u wilt openen.

In een document navigeert u op de gebruikelijke manier met vegen en u zoomt in met een knijpbeweging. Maar in het menu kunt u de weergave op paginabreed zetten of de marges verbergen en gebruikt u liever een zoombalk, dan kunt u die ook inschakelen in het menu.

In een document zoomt u in of uit met een knijpbeweging op het scherm of gebruik het menu.

Worddocument

Als u een Word-document maakt of opent, ziet u in de actiebalk de vertrouwde knoppen **Opslaan**, **Ongedaan maken** en **Opnieuw**, daarnaast staan de knoppen **Bijlage**, **Eigenschappen** en **Menu**. Tekst selecteren gaat weer op de gebruikelijke manier, maar boven de selectie ziet u de knoppen **Knippen**, **Kopiëren**, **Plakken** en **Meer**. Tik meteen op de gewenste knop. De knop **Meer** biedt onder andere de optie **Opmaak kopiëren**.

Als u tekst wilt opmaken, selecteer dan de tekst en tik op de knop **Eigenschappen** (met de moersleutel). Daarmee opent u het venster Eigenschappen. Dit venster heeft drie tabs:

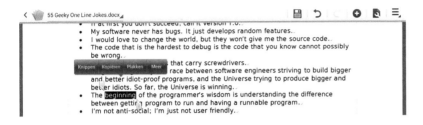

- My software never has bugs. It just develops random features.
- I would love to change the world, but they won't give me the source code.
- The code that is the hardest to debug is the code that you know cannot possibly be wrong.

that carry screwdrivers.

race between software engineers striving to build bigger and better idiot-proof programs, and the Universe trying to produce bigger and better idiots. So far, the Universe is winning.

- The beginning of the programmer's wisdom is understanding the difference between getting a program to run and having a runnable program.
- I'm not anti-social; I'm just not user friendly.

Als u tekst selecteert, ziet u even deze knoppen in beeld.

■ **Lettertype**   Tik op deze tap en u past eenvoudig het lettertype, lettergrootte, kleur en meer aan van de selectie.

■ **Paragraaf**   Hier bepaalt u de uitlijning, inspringen, regelhoogte en soort lijst aan voor de selectie.

■ **Stijl**   Hiermee past u een vooraf gedefinieerde opmaak toe. Er zijn een paar stijlen aanwezig.

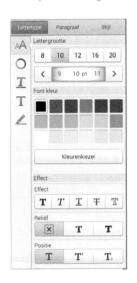

Het venster Eigenschappen biedt heel veel mogelijkheden.

Tik op de knop **Bijlage** (plus) als u een afbeelding, tekstvak, tabel of bladwijzer wilt invoegen. Daarmee opent u een menu, waaruit u uw keuze maakt. Nog meer mogelijkheden vindt u – uiteraard – met een tik op de knop **Menu**.

In Polaris Office kunt u een nieuwe spreadsheet maken of een bestaande openen. De app ondersteunt spreadsheets die uit verschillende bladen bestaan. Opent u een spreadsheet met meer bladen, tik dan op de tab van het blad waarin u wilt werken.

Spreadsheet

Tik op een cel om deze te selecteren. Onderaan de cel ziet u een sleepgreep (wit rondje). Sleep hiermee als u de selectie wilt uitbreiden. En ja, u had het al gezien, als u een selectie maakt, verschijnen de knoppen **Knippen**, **Kopiëren**, **Plakken** en **Meer** in beeld. De knop **Meer** biedt onder andere waarde plakken, aanpassen van de kolombreedte en rijhoogte, kolommen en rijen verbergen en wissen.

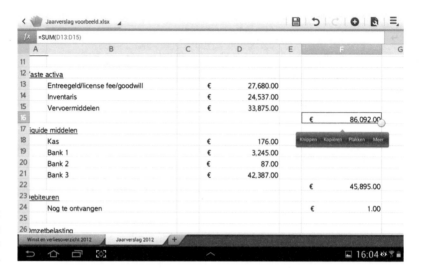

De selectie heeft een gekleurde omlijning en een sleepgreep.

U vervangt de inhoud van een geselecteerde cel als u in de formulebalk typt. Wilt u de inhoud van een cel direct in de cel zelf typen, dubbeltik dan op de cel.

U selecteert een rij met een tik op het rijnummer, een kolom selecteert u met een tik op de kolomletter. U ziet dan een sleepgreep in de vorm van een blokje onder het rijnummer of de kolomletter. Sleep hiermee als u de grootte van de rij of kolom wilt aanpassen.

Een formule invoegen behoort natuurlijk ook tot de mogelijkheden. Tik in de cel waar de formule moet komen en tik op de formuleknop links in de formulebalk bovenaan. U ziet nu een venster met de beschikbare functies. U bouwt nu de formule op de gebruikelijke manier op.

Tikt u op de knop Formule, dan verschijnt het venster Functie invoegen.

In de actiebalk ziet u de knoppen **Opslaan, Ongedaan maken, Opnieuw, Bij-lage, Eigenschappen** en **Menu**. Met de knop **Eigenschappen** kunt u uw werk-blad verder opmaken en vormgeven. De knop **Bijlage** gebruikt u als u een grafiek wilt invoegen. U kiest het gewenste type grafiek uit in het venster.

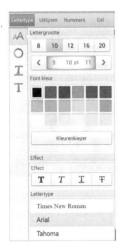

Links de opmaak-mogelijkheden, rechts de soorten grafieken.

Opent u een presentatie, dan ziet u links het venster met de aanwezige dia's. De geselecteerde dia ziet u rechts groot weergegeven. De geselecteerde dia in het venster kunt u kopiëren, verwijderen of verplaatsen. Tik op de dia en onder de dia komen de knoppen **Dia kopiëren** en **Wissen**. Tik op de gewenste knop. Wilt u de dia verplaatsen? Houd dan uw vinger op de dia en sleep de dia naar de gewenste plaats. Onder het venster met dia's staat de knop **Toevoegen** (plus). Tik hierop als u een dia aan de presentatie wilt toevoegen.

Presentatie

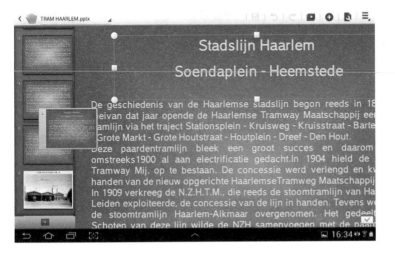

Versleep een dia in het venster om de volgorde van de dia's te verande-ren.

Notities voegt u toe met een tik op de knop **Notities** rechtsonder op de dia. Daar-mee opent u een venster waarin u aantekeningen maakt die u tijdens de presentatie wilt gebruiken. Alleen de persoon die de presentatie geeft, kan deze notities lezen. Voor het publiek zijn ze onzichtbaar.

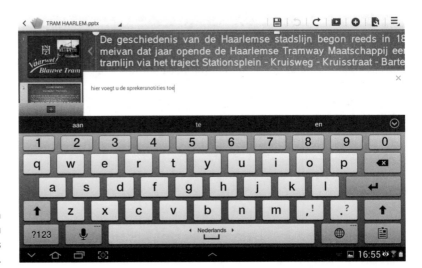

Aantekeningen toevoegen die u nodig hebt tijdens de presentatie.

De actiebalk toont weer de vertrouwde knoppen, waarbij er eentje is toegevoegd, namelijk **Afspelen**. De knoppen hebben ook weer dezelfde functies, dus afbeeldingen, grafieken en meer voegt u in met de knop **Bijlage** en voor de opmaak kunt u terecht bij de knop **Eigenschappen**.

Diashow

Tik op de knop **Afspelen** als u de presentatie wilt bekijken. U ziet nu dia voor dia in beeld. Tik op de dia om de volgende te bekijken of tik op de pijlknoppen aan weerszijde van de dia om naar de volgende of vorige dia te gaan.

Gebruik een aanwijzer, maar kies eerst een kleur. U wijst iets aan op het scherm als u met de vinger over het scherm sleept.

Houd uw vinger even op de dia als u een aanwijzer wilt gebruiken of iets op de dia wilt schrijven of tekenen. Tik op de rode knop als u een aanwijzer wilt gebruiken. De aanwijzer verschijnt op het scherm waar u het aanraakt. U kunt de kleur van de aanwijzer aanpassen met een tik op de aanwijzerknop. Tik op de gewenste kleur in het palet.

Schrijven of tekenen kan ook. Daarbij kunt u meer instellen dan alleen de kleur.

Wilt u iets op de dia schrijven of tekenen, tik dan op de pen. Nu kunt u op de dia tekenen of schrijven. Tik nogmaals op de pen om de instellingen en de kleur van de pen aan te passen. Rechts onderaan ziet u nu knoppen met een gum, daarmee kunt u uw teken- en schrijfwerk in één keer ongedaan maken.

Zo, dat was wel genoeg werk. Het moet tenslotte leuk blijven, zo'n tablet. Daarom gaat u in het volgende hoofdstuk op ontdekkingsreis met Maps.

8

Maps en meer

Verken de wereld op uw tablet met de app Maps. Wilt u weten waar u bent of hoe u op uw bestemming komt, dan helpt Maps u op weg met wegenkaarten, plattegronden, satellietfoto's en meer. Zoekt u andere informatie over uw omgeving of reisdoel, dan biedt Maps u ook informatie over het openbaar vervoer, hotels en welke bezienswaardigheden, diensten en winkels bij u in de buurt zijn. Maar Maps is niet alleen nuttig, het is ook leuk. Wilt u een aparte kijk op de wereld? Hebt u altijd al eens de Niagarawatervallen willen zien, de grote piramide van Gizeh, het Witte Huis, de Eiffeltoren of de Borobudur? Met Maps bekijkt u ze allemaal en u krijgt zo nodig ook de route ernaartoe.

Locatieservices

Uw tablet beschikt over A-gps – *assisted global positioning system* – en daarmee bepaalt de tablet bij benadering zijn locatie. Daarnaast kunnen ook het mobiele datanetwerk en eventueel Wi-Fi-netwerken helpen bij de locatiebepaling, bijvoorbeeld als er geen gps-signaal beschikbaar is. Alles wat de tablet gebruikt – of kan gebruiken – om de locatie te bepalen, valt onder de locatieservices.

De Eiffeltoren vanuit de lucht, vanaf de straat en in 3D in Google Earth.

Energiebewust Wilt u de batterij sparen, schakel dan de locatieservices uit wanneer u ze niet gebruikt.

De tablet is overigens niet zelfzuchtig, de locatieservices zijn beschikbaar voor elke app die erom vraagt en die de juiste machtigingen heeft. Voordat u een app installeert, krijgt u een lijst met machtigingen te zien. U moet daar toestemming geven voordat u de app kunt installeren. En jammer genoeg kunt u die machtigingen niet aanpassen of later intrekken. U kunt de machtigingen van een app altijd nakijken bij **Instellingen, Applicatiebeheer**. Tik op de app en u krijgt alle informatie over de app te zien, inclusief de machtigingen.

Locatieservices Het kan overigens geen kwaad om even na te denken waarom een app locatieservices nodig heeft. Voor een app als Maps is dat zinvol, maar voor een spelletje dat u offline en alleen speelt? Een beetje argwaan kan geen kwaad, dus vraag u af wat een app met locatiegegevens doet en is de reden u niet duidelijk, installeer de app dan niet. Als alternatief schakelt u de locatieservices uit. Die kunt u immers altijd weer inschakelen als u ze nodig hebt.

Bij **Instellingen, Locatieservices** ziet u drie opties: **Draadloze netwerken gebruiken, GPS-satellieten gebruiken** en **Locatie en Google Zoeken**. U kunt deze alle drie uitschakelen. Uw locatie is dan niet meer beschikbaar, ook niet voor Maps.

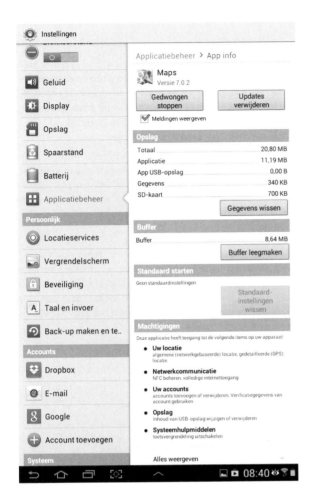

De machtigingen van Maps. Tik op Alles weergeven om een gedetailleerd beeld te krijgen.

Geen locatieservices   Als gps niet werkt en u bent buiten het bereik van het mobiele datanetwerk en andere netwerken, dan werken de locatieservices niet meer. Maps werkt nog wel en kan ook locaties tonen op de kaart en routeberekeningen uitvoeren, alleen zult u beide adressen moeten opgeven. Hebt u de locatieservices uitgeschakeld, dan vraagt Maps u om deze in te schakelen zodra u uw huidige positie opvraagt.

Locatieservices uitgeschakeld

Google Maps heeft toegang tot uw locatie nodig. Schakel locatieservices in.

Annuleren   Inschakelen

Maps vraagt u de locatieservices in te schakelen. Tikt u op Annuleren, dan werkt Maps wel, maar met beperkingen.

175

Waar is...

In Maps kunt u een locatie zoeken, uw huidige positie bepalen, een route uitzetten en meer. Voeg lagen toe aan de traditionele kaart, zodat u bijvoorbeeld een satellietfoto van een locatie kunt bekijken of bekijk de locatie vanaf straatniveau met Google Street View.

Internet verplicht Maps betrekt zijn informatie van internet. Als de kaart opnieuw moet worden gedownload, dan is een werkende verbinding dus verplicht. Gelukkig kunt u ook een gedeelte van de kaart downloaden zodat u dit gedeelte offline kunt gebruiken. Gebruikt u de satellietfoto's en Street View, dan is een snelle verbinding wel zo prettig.

In Maps is de zoekfunctie altijd duidelijk aanwezig. Tik in het zoekvak als u een zoekactie wilt starten of de andere mogelijkheden zichtbaar wilt maken. Verberg eventueel het toetsenbord als u niet alle mogelijkheden in beeld krijgt. Onder het zoekvak staan de laatste zoekacties, met de balk daaronder zoekt u naar bepaalde categorieën in uw omgeving en met de knop daaronder kunt u het gedeelte van de kaart dat in beeld is offline beschikbaar maken.

Zoeken heeft meer te bieden. Zoek in categorieën, zoals een restaurant in de buurt. En met de onderste knop hebt u ook zonder internetverbinding de kaart bij de hand.

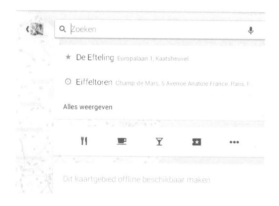

De knop **Menu** staat links van het zoekvak. In het menu schakelt u de lagen in of uit en zijn de instellingen beschikbaar. De lagen **Verkeer, Openbaar vervoer, Fietsen** en **Satelliet** zijn beschikbaar. Met een laag voegt u extra informatie toe aan de kaart. Met de laag **Verkeer** ziet u bijvoorbeeld hoe druk het op de weg is. De laag **Satelliet** voegt satellietfoto's toe aan de kaart.

Rechtsonder staat de knop **Mijn locatie**, daarmee bekijkt u uw locatie op de kaart.

Geen garantie Uiteraard mag u niet helemaal blindvaren op Maps. De app gebruikt kaartmateriaal en informatie van Google. Kaarten verouderen, situaties veranderen en gegevens kloppen niet (meer) of zijn onvolledig. Het kan geen kwaad de informatie met een korreltje zout te nemen en te controleren of uw tablet u niet op een dwaalspoor zet. Mocht u fouten aantreffen, dan kunt u deze doorgeven met de optie **Feedback verzenden** in het menu.

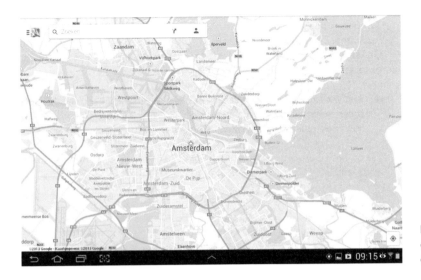

Maps zonder lagen, de knoppen staan op de kaart.

Er zijn meer wegen die naar Rome leiden en in Maps kunt u op verschillende manieren een locatie zoeken. Selecteer een contactpersoon, typ een postcode, adres, streek, oriëntatiepunt of bezienswaardigheid of tik op een bladwijzer.

Zoeken

Het resultaat van een zoekactie (links). Tik op het label voor meer informatie (rechts).

1. Tik in het zoekveld en typ een zoekterm. Dat kan een adres zijn, maar ook een trefwoord.

2. Typ bijvoorbeeld `london tower`. Tijdens het typen verschijnen de zoek-resultaten. Ziet u de gewenste locatie al in de lijst? Tik dan op dat zoekresultaat. De kaart verschijnt met een label van het zoekresultaat, de rode marker toont de locatie.

- Sluit u uw zoekactie af met de Enter-toets, dan verschijnt het dichtstbijzijnde zoekresultaat. Is dat niet de bedoeling? Tik dan in het zoekvak zodat de lijst met zoekresultaten verschijnt en tik dan op een zoekresultaat in de lijst.

3. Tik op het label als u meer informatie wilt zien, daarmee opent u het infor-matievenster.

4. Tik op de knop met de auto voor de route.

5. Tik op de kaart als u het label wilt sluiten.

Informatie-
venster

Het informatievenster biedt u verschillende mogelijkheden. U ziet alleen de beschikbare informatie. Bij bepaalde plaatsen kunt u ook een beoordeling achter-laten. Wat u in elk geval ziet:

- **Adres**   De adresgegevens van de locatie. Soms ziet u hier ook de openings-tijden of extra informatie.

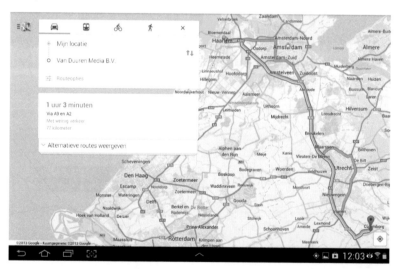

Maps berekent de route naar uw bestemming, u kiest met welk vervoermiddel.

- **Knop Opslaan**   Boven het adres staat een grijze ster. Wilt u de locatie opslaan zodat u deze later kunt terugvinden? Markeer dan de locatie met een tik op de ster. Wilt u later naar deze plek terugkeren? Tik dan op het poppetje rechts van het zoekvak.

- **Knop Delen**   Verstuur de informatie aan een vriend.

- **Knop Route**   Bereken de route van uw huidige locatie naar deze locatie. U kunt kiezen uit **Auto**, **Openbaar vervoer**, **Lopen** en **Fietsen**. Is de route eenmaal berekend, dan kunt u kiezen uit **Navigatie** of **Routebeschrijving**.

■ **Kaart**   Toont het adres op de kaart.

■ **Street View**   Hiermee opent u Street View op deze locatie.

■ **Een probleem melden**   Klopt de informatie niet of is er een ongepaste foto geplaatst? Dan kunt u het probleem melden met deze optie.

Verder is soms de volgende informatie beschikbaar:

■ **Recensies**   Hier leest u wat anderen van deze locatie vonden.

■ **Foto's**   Hier kunt u foto's bekijken. Tik op de knop **Menu**, dan kunt u ook een foto toevoegen of een ongepaste foto melden.

Foto's bekijken van de locatie en foto's toevoegen.

■ **Homepage**   Start Browser en ga naar de website.

■ **Beoordelen**   Tik op een ster en u kunt uw waardering aangeven met het aantal sterren. Daaronder kunt u uw eigen recensie schrijven.

Tik op de knop linksboven als u het informatievenster wilt sluiten en terugkeren naar de kaart.

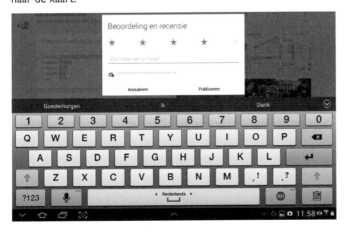

Geef sterren als waardering en schrijf een recensie.

Maps bedienen

Maps biedt veel informatie in verschillende varianten. Op de volgende manieren navigeert u over de kaart.

■ Wilt u op de kaart inzoomen, zet dan uw vingers op het scherm en beweeg ze uit elkaar. Als alternatief dubbeltikt u op het gedeelte dat u nader wilt bekijken. Elke keer dat u dubbeltikt, zoomt u verder in tot u het hoogste detailniveau hebt bereikt.

Niagara Falls. Wilt u dit beter bekijken? Dubbeltik om in te zoomen. Zoom uit met een tik met twee vingers.

■ Zet uw vingers op het scherm en beweeg ze naar elkaar om uit te zoomen of tik met twee vingers op de kaart. Wilt u verder uitzoomen, tik dan nogmaals met twee vingers op de kaart.

■ Zet een vinger op de kaart en sleep in de gewenste richting als u over de kaart wilt schuiven.

■ Zet twee vingers uit elkaar op de kaart en maak een draaiende beweging, de kaart draait mee. Wilt u de kaart weer met het noorden boven zien? Tik dan op de kompasnaald rechtsboven.

Draai de kaart met uw vingers. Let op de kompasnaald rechtsboven.

■ Plaats twee vingers naast elkaar op de kaart en sleep naar beneden, de kaart kantelt en geeft een 3D-effect. Sleep met twee vingers naast elkaar omhoog over de kaart om de kaart weer van boven te bekijken.

Kantel de kaart voor een 3D-effect. Soms is het 3D-effect behoorlijk overtuigend, zoals bij de CN Tower in Toronto, Canada.

Kompasnaald Tik op de kompasnaald (rechtsboven) als u de kaart weer van bovenaf wilt bekijken met het noorden boven.

Wilt u de locatie van een contactpersoon zien? Tik dan in het zoekveld en begin de naam te typen. Alle contactpersonen waarvan u een adres hebt opgenomen in Contacten en die aan de zoekcriteria voldoen, krijgt u te zien.

Hebt u meer adressen voor dit contact, selecteer dan het adres dat u wilt gebruiken. Als alternatief tikt u in Contacten op het adres en Maps laat het op de kaart zien. Tik op het label als u het informatievenster wilt openen.

Wilt u weten waar u bent, tik dan op de knop **Mijn locatie** in de actiebalk. Uw locatie verschijnt op de kaart en wordt gemarkeerd met een blauwe stip met een pijltje dat de richting aangeeft waarin u beweegt. De cirkel om de stip geeft aan hoe

Uw huidige locatie

De blauwe marker geeft uw locatie aan. Hoe kleiner de cirkel, hoe nauwkeuriger de positie.

nauwkeurig de locatie is bepaald. Hoe kleiner de cirkel, hoe nauwkeuriger. Bent u in beweging, dan past de kaart zich aan aan uw bewegingen, zodat de locatie-indicator ongeveer in het midden van het scherm blijft.

Wilt u weten in welke richting u beweegt, tik dan nogmaals op de locatieknop, het symbool op de knop verandert in een kompasroos. Maps gebruikt nu het ingebouwde digitale kompas om te bepalen in welke richting u beweegt. De rood-witte kompasnaald wijst nu steeds naar het noorden, terwijl de blauwe pijl in de richting wijst waarin u loopt.

Bekijk Maps in de richting waarin u beweegt.

Lagen

Maps toont standaard de gebruikelijke wegenkaart of stadsplattegrond, maar u kunt de weergave uitbreiden met een aantal lagen.

■ De laag **Verkeer** toont verkeersinformatie of beter, zegt iets over de gemiddelde snelheid op een traject, naar de actuele toestand op de weg. De wegen

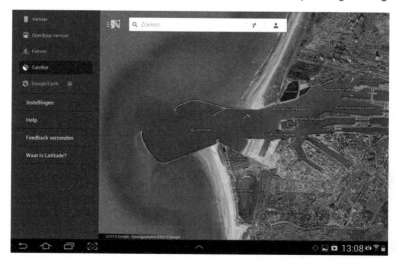

De lagen van Maps, hier is de laag Satelliet toegevoegd.

hebben een kleur die afhangt van de snelheid waarmee het verkeer op de weg rijdt. Groen wil zeggen normaal, geel betekent langzamer dan normaal en rood is langzaam rijdend tot stilstaand verkeer. Grijs wil zeggen dat er geen informatie beschikbaar is. Bij verkeershinder zijn soms pictogrammen op de kaart te zien, bijvoorbeeld voor wegwerkzaamheden of een ongeval.

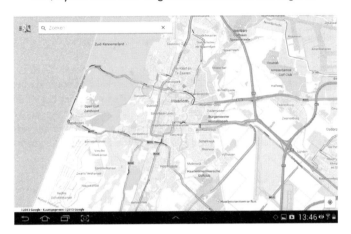

Het verkeer op een warme zomerdag naar het strand.

■ De laag **Openbaar vervoer** toont de lijnen van het openbaar vervoer, zoals spoor en metro.

■ De laag **Fietsen** geeft in groen de fietspaden weer, waarbij de kleur aangeeft welk type weg het is. Donkergroen is een fietsroute, lichtgroen is een fietspad en een fietsvriendelijke weg wordt met een stippellijn aangeduid.

■ De laag **Satelliet** voegt prachtige satellietfoto's toe aan de kaart, waarop u ver kunt inzoomen. Hiervan hebt u al de nodige voorbeelden gezien.

U kunt lagen overigens prima combineren.

U hebt Street View vast al ontdekt, daarmee kunt u op veel plaatsen op straatniveau rondneuzen, mits Street View beschikbaar is op die locatie. Tik in het informatievenster op **Street View** en u schakelt naar de opnamen zoals die door de speciale camerawagens van Google op die locatie zijn gemaakt.

Street View

Met Google Street View maakt u een virtueel tochtje en kunt u ongestoord rondkijken.

Veeg op het scherm omhoog, omlaag, naar links of naar rechts om de beelden goed te bekijken. Tik op een pijl om uw standpunt te verplaatsen. Tik op het scherm om de knoppen zichtbaar te maken. Met de knop **Omhoog** in de actiebalk keert u terug naar de kaart.

Hoe kom ik...

Met Maps is het een fluitje van een cent om een route uit te stippelen. Zoek uw bestemming op in Maps en tik op de knop **Route**. Maps berekent de route tussen dat punt op de kaart en uw locatie. Tik op de dubbele pijlen naast het begin- en eindpunt als u de omgekeerde route wilt berekenen. Gebruikt u liever een ander vertrekpunt? Tik dan op het beginpunt en tik op de gewenste optie of typ het vertrekpunt. U kunt bijvoorbeeld hier de naam van een contact typen, een bezienswaardigheid of een plaats uit uw zoekgeschiedenis selecteren.

Bepaal uw start- en eindpunt, Maps doet de rest.

Selecteer hoe u wilt reizen met een van de knoppen **Auto**, **Openbaar vervoer**, **Fietsen** of **Lopen**. Maps berekent de route, compleet met afstandsopgave en een schatting van de reistijd. Zijn er meer routes mogelijk, tik dan op de knop **Alternatieve routes weergeven**.

OV-route   Maps doet het niet slecht met het berekenen van een OV-route. Dat neemt niet weg dat het is het aan te bevelen om vooraf de actuele dienstregelingen op de website te raadplegen, zeker als het een belangrijke reis is.

Tik op de route en u ziet de routebeschrijving. De route staat op de kaart gemarkeerd en de routebeschrijving staat ernaast. U ziet de route in het venster en in een lijst. Veeg door de lijst om de volgende aanwijzingen te zien. Bovenaan ziet u de afstand en de geschatte reistijd. Tik op een stap om deze op de kaart te zien. Wilt u de routebeschrijving voor een andere vorm van transport? Tik dan op het blok boven de routebeschrijving en tik op de gewenste vervoersmethode. Of u deze

Maps stippelt de
route uit.

routes ook daadwerkelijk te zien krijgt, hangt ervan af of Maps een geschikte route
kan vinden.

Is uw locatie het beginpunt van de reis? Dan ziet u bovenaan de knop **Starten**. Tikt
u daarop, dan schakelt u de navigatie in. U krijgt gesproken aanwijzingen en u ziet de
kaart in 3D met de route in blauw. Wandelend en op de fiets tussen niet al te veel
hoge gebouwen gaat het aardig, maar in de auto raakt de gps regelmatig het spoor
bijster. Of dat aan de app ligt of aan de tablet? Geen idee, maar voorlopig ruil ik mijn
TomTom nog niet in...

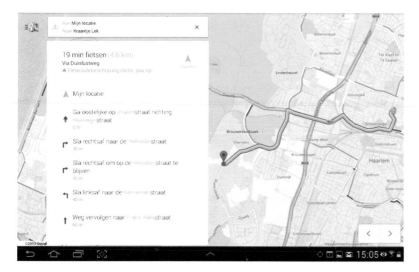

Navigatie te voet,
op de fiets en in de
auto.

Waar vind ik...

Maps heeft ook nuttige informatie over uw omgeving. Hebt u een apotheek nodig maar bent u niet bekend in de omgeving, tik dan op het zoekveld, typ `apotheek` en Maps gebruikt uw huidige locatie om de apotheken in uw omgeving te zoeken. Op de kaart verschijnt de dichtstbijzijnde apotheek. Tik op de lijst met resultaten als u meer apotheken wilt bekijken.

Medicijnen vergeten? Waar is hier een apotheek?

Veelvoorkomende zoekopdrachten heeft Maps ondergebracht in de categorieën **Restaurants, Koffie, Bars** en **Attracties**. Tikt u op een van deze knoppen, dan verschijnt een lijst met topattracties in uw omgeving of de plaats die u op de kaart hebt gemarkeerd. Het eerste resultaat ziet u op de kaart, de rest ziet u als u tikt op **Lijst met resultaten**. Tik op het resultaat van uw keuze om meer informatie te zien.

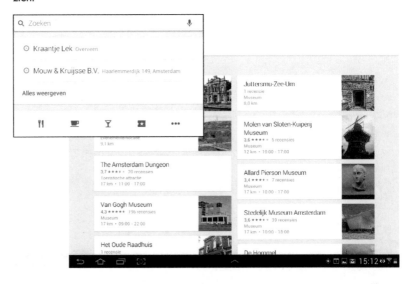

Op zoek naar een restaurant of een attractie in de buurt? Tik op het zoekvak en tik daarna op de gewenste categorie. Tik op een zoekresultaat voor meer informatie.

Natuurlijk is dit een nuttige functie, maar wonderen mag u er niet van verwachten. Maps kan u alleen die dienstverleners en winkels in uw omgeving laten zien die in de database van Google staan. Dat zijn er weliswaar erg veel, maar lang niet allemaal. Daar komt nog bij dat databases verouderen. Maar, het is het proberen waard. Niet geschoten is altijd mis...

Camera en co

Uw tablet beschikt over twee camera's waarmee u niet alleen foto's maakt, maar ook video opneemt. Uw foto's en videofilmpjes beheert u met het programma Galerij. Bewerk uw video-opnamen met Video-editor en sla het resulterende filmpje op. Deel uw opnamen met anderen of gebruik een foto als achtergrond op uw tablet.

Camera

Uw tablet is standaard uitgerust met twee camera's voor het maken van foto's, video-opnamen en panoramafoto's. Welke camera's uw tablet heeft, hangt af van de fabrikant. In de specificaties van uw tablet is dat vast wel te achterhalen. De camera aan de voorkant (aan dezelfde kant als het beeldscherm) is vooral bedoeld voor videochatten en eventueel een zelfportret. De hoofdcamera zit aan de achterkant en is vaak een stuk beter. Daarom ligt het voor de hand dat u voornamelijk de hoofdcamera gebruikt voor het maken van opnamen. U bedient de camera's met de app Camera.

Bediening De app Camera gebruikt u om opnamen te maken met de camera's. De bediening is eenvoudig genoeg: u ziet het beeld van de camera op het beeldscherm, richt de camera op het onderwerp en tikt op de sluiterknop. Daarmee leent de camera zich uitstekend voor snapshots.

De bediening van de app Camera.

Opent u de app Camera, dan ziet u het beeld van de camera. Het witte kader markeert datgene waarop de camera scherpstelt. Wilt u ergens anders op scherpstellen? Tik dan op die plaats op het scherm (dit werkt niet op de Tab 2). Aan weerszijden ziet u de knoppen en instelmogelijkheden.

Stand In de app Camera zitten de bedieningselementen op een vaste plaats op het scherm. Kantelt u de tablet van de liggende stand naar staand, dan draaien de opschriften, maar de knoppen houden dezelfde positie op het scherm. De termen links en rechts hieronder gelden dan ook als u de tablet in de liggende stand vasthoudt met de frontcamera bovenaan (10 inch tablets) of de kleinere tablets met de frontcamera links.

Rechts ziet u van boven naar beneden:

- Met de schuifknop wisselt u tussen het maken van foto's en video-opnamen.

- Druk op de sluiterknop om een foto te maken of om een opname te starten of te stoppen. De knop verraadt ook welk soort opname u maakt: het pictogram van een camera voor foto's en de rode stip voor video-opnamen.

■ Het venstertje toont een miniatuurtje van uw laatste opname. Tikt u hierop, dan opent u de opname. Tik op de knop **Vorige** om terug te keren naar Camera.

De knoppen links zijn sneltoetsen waarmee u snel bepaalde instellingen kunt veranderen. Standaard zijn dat van boven naar beneden:

■ De camerawisselknop wisselt tussen de frontcamera en de hoofdcamera.

Frontcamera Wisselt u naar de frontcamera, dan zijn een aantal functies niet beschikbaar. Zo ontbreekt – uiteraard – de instelling voor de flitsmodus, aan de voorkant van uw tablet zit immers geen flitser, zelfs als er wel een flitser voor de hoofdcamera is. Verder ontbreken de opnamestand panorama, scènemodus en de effecten.

■ Met de opnamestand kiest u welk soort opname u wilt maken. U hebt de keuze uit:

■ **Eén opname** U maakt één opname als u op de sluiterknop tikt.

■ **Panorama** Maak een serie foto's die worden samengesteld tot een panoramafoto.

■ **Opname delen** Verstuur de foto direct aan anderen met Wi-Fi Direct.

■ **Foto delen met vrienden** De tablet herkent het gezicht van een persoon die u hebt gemarkeerd in een foto en verzendt de foto naar die persoon.

■ **Smile shot** De tablet herkent gezichten van mensen en helpt u foto's te maken wanneer ze glimlachen.

■ De timer gebruikt u als u zelf ook op de foto wilt. U stelt de vertraging in en tikt op de sluiterknop. De timer wacht de instelde tijd en maakt de opname. Zo hebt u tijd om uw plaats in te nemen, zodat u zelf ook op de foto staat. Hiervoor moet u uw tablet natuurlijk wel op een standaard of iets dergelijks neerzetten.

■ Met deze knop past u een van de speciale effecten toe.

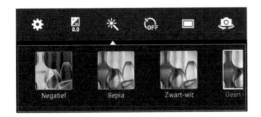

Kies uit de speciale effecten die u kunt toepassen tijdens de opname.

■ De belichting past u hier aan om de helderheid van de opname te verbeteren.

■ De knop **Instellingen** geeft toegang tot de instellingen voor Camera. Welke instellingen u precies ziet, hangt af van welke camera u hebt geselecteerd en of u de fotomodus of videomodus hebt ingesteld.

Sneltoetsen De bovenste vijf toetsen kunt u een andere functie geven. Tik op de knop **Instellingen** en tik op de eerste optie. Op de Tab 3 en de Note 8.0 komt deze optie tevoorschijn als u op de knop **Menu** tikt. U ziet nu de functies die u aan de knoppen kunt toekennen, die zijn niet voor alle modellen hetzelfde. Sleep het pictogram op de sneltoets die u aan deze functie wilt koppelen. Dus wilt u in plaats van de timer de scènemodus als sneltoets hebben, sleep dan het pictogram **Scènemodus** op de plaats van de timer. De timer verschijnt daarna bij de te kiezen functies.

Hebt u liever andere functies voor de sneltoetsen? Geen probleem, dat regelt u zelf.

Instelmogelijkheden Veel instellingen spreken voor zich, maar enkele instellingen hebben wat uitleg nodig.

■ Scènemodus Dit zijn voorgeprogrammeerde camera-instellingen voor speciale omstandigheden, zoals nacht, binnenshuis of een zonsondergang. Meestal voldoet de instelling **Geen**, maar probeer de verschillende instellingen rustig uit. Ze kunnen het verschil betekenen tussen een goede foto en een gewone.

Korrelig beeld Zorg wel voor voldoende licht als u opnamen maakt, zeker als uw tablet geen flitser heeft. Bij onvoldoende licht wordt het beeld al snel korrelig.

■ Belichting Hier kunt u de belichting aanpassen voor uw opnamen. In situaties met weinig licht, kiest u een hogere waarde om toch een goede opname te krijgen. Bent u aan het strand of een heldere dag in de sneeuw, dan gebruikt u een lagere waarde om toch een contrastrijke opname te maken.

■ **Witbalans** De witbalans regelt hoe natuurlijk de kleuren van uw foto lijken, afhankelijk van het soort licht tijdens de opname. U hebt de keuze uit **Automatisch**, **Daglicht**, **Bewolkt**, **Kunstlicht** en **TL-verlichting**. De witbalans is standaard ingesteld op **Automatisch** en deze levert meestal goed werk. Maar als de kleuren niet kloppen, pas dan de witbalans aan en kijk of het resultaat beter is.

■ **Volumeknop** Met deze optie stelt u in of u de volumeknop wilt gebruiken als sluiterknop of als zoomtoets. Deze optie is niet op alle modellen beschikbaar.

■ **GPS-tag** Schakelt u de optie **GPS-tag** in, dan slaat de tablet de geografische coördinaten van uw locatie op bij de foto. Dit noemt men geotagging. Hebt u deze functie ingeschakeld, dan ziet u in de app Camera rechtsboven het locatiepictogram. In de app Galerij kunt u die informatie later weer uitlezen of bekijk de locatie op de kaart in Maps. Zo kunt u later altijd terugvinden waar (en wanneer) u bepaalde opnamen hebt gemaakt. Wilt u geen locatiegegevens opslaan, dan schakelt u deze optie uit.

Exif De locatiegegevens en andere informatie wordt opgeslagen in het formaat Exif in uw foto. Exif staat voor Exchangeable Image File Format, een gestandaardiseerd opslagformaat waarbij de metadata van een digitale foto in het bestand worden opgenomen.

Hebt u de locatiegegevens opgeslagen? Dan ziet u die bij Gegevens. Of tik op Routebeschrijving ophalen, dan kunt u de locatie in Maps bekijken.

Foto's maken

Wilt u foto's maken, start dan de app Camera en controleer of de fotomodus is ingeschakeld. In de fotomodus staat de schakelaar onder het camerapictogram en op de sluiterknop staat het camerapictogram. Het scherm fungeert als zoeker en u ziet het beeld van de hoofdcamera aan de achterkant. Uw foto's worden opgeslagen in het album Camera.

De camera van de Note 8.0 in actie, let op het groene scherpstelkader.

- Wilt u ergens op scherpstellen? Tik dan op het onderwerp op het scherm. Het scherpstelkader verschijnt op de plaats waar u hebt getikt en kleurt groen zodra de camera is scherpgesteld. Dit werkt niet op alle modellen.

- U maakt een foto met een tik op de sluiterknop. U hoort het sluitergeluid om aan te geven dat de foto is genomen.

 Cheese   Op een aantal modellen kunt u ook met een spraakopdracht een foto maken. U zegt dan bijvoorbeeld `Smile`, `Cheese`, `Capture` of `Shoot`. De camera stelt scherp en maakt een afdruk.

- Gebruik de camerawisselknop als u een zelfportret wilt maken. U wisselt met een tik op deze knop tussen de hoofdcamera en de frontcamera.

- Zet uw vingers op het scherm en beweeg ze van elkaar vandaan als u wilt inzoomen. Beweeg ze naar elkaar toe om uit te zoomen. Of gebruik de volumeknop om in- of uit te zoomen. Dit werkt niet bij alle modellen.

Digitale zoom Bij optische zoom beweegt de lens om het beeld dichterbij te halen. Daarmee verandert de brandpuntafstand van de lens, maar het aantal pixels en hun afmetingen blijft gelijk en daarmee ook de beeldkwaliteit. Het zal duidelijk zijn dat de camera in een tablet een vaste lens heeft. De zoomfunctie is dus geen optische, maar een digitale zoom. Bij digitale zoom blijft de brandpuntsafstand van de lens gelijk, maar de pixels worden groter en daarmee de details. Het totale aantal pixels neemt af en dus ook de beeldkwaliteit. Of dat storend is, hangt af van hoe groot u de foto weergeeft of afdrukt.

Een panoramafoto is een overzichtsfoto die bestaat uit verschillende opnamen. Tik op de knop **Opnamestand** en tik op **Panorama**. Tik op de sluiterknop om de opname te beginnen. Beweeg de camera nu in één richting en let daarbij op het blauwe kader op het scherm. Telkens wanneer de camera op het juiste punt is, wordt automatisch de volgende opname gemaakt. Beweegt u te snel of in de verkeerde richting, dan krijgt u een melding. Bent u klaar met de opname, tik dan nogmaals op de sluiterknop. op het scherm. De panoramafoto wordt nu samengesteld en opgeslagen.

Panorama

Een panoramafoto toont een typische vervorming. Deze straat is in werkelijkheid recht.

Toren U kunt niet alleen horizontale panoramafoto's maken, maar ook verticaal, bijvoorbeeld van een toren, een hoog gebouw of een berg.

De foto's en videofilmpjesdie u maakt, komen terecht in het album Camera op uw tablet. U bekijkt het album Camera met de app Galerij. Galerij opent vanzelf wanneer u in de app Camera op het miniatuurtje rechtsonder tikt.

Album Camera

Tik op het miniatuurtje om uw opnamen in het album Camera te bekijken.

U bladert door het album met een veeg naar links of naar rechts op het scherm. Tik op het scherm als u de actiebalk nodig hebt. U ziet onderin dan ook een filmstrip met de opnamen in het album.

In de actiebalk ziet u vier knoppen.

■ **Favoriet** Tik op deze knop als u de foto wilt toevoegen aan uw favorieten.

■ **Delen** Tik op deze knop als u de foto met anderen wilt delen. Daarmee opent u een venster met alle apps die hiervoor geschikt zijn, zoals Bluetooth, Picasa of e-mail. Tik op de app van uw keuze.

Met de knop Delen kunt u de foto met anderen delen met de app van uw keuze.

■ **Prullenbak** Wilt u een foto verwijderen, tik dan op deze knop en bevestig dit met de knop **Verwijderen bevestigen**.

■ **Diashow** Gebruik deze knop als u de foto's in het album als diashow wilt bekijken. Tik op de knop **Diashow starten** als u de standaardinstellingen wilt gebruiken. Tik op de knop **Instellingen diashow** als u de effecten, muziek en snelheid zelf wilt instellen. Deze knop ziet u niet op alle modellen

■ **Menu** Hier vindt u opties zoals **Diashow**, **Bewerken**, **Linksom draaien**, **Rechtsom draaien**, **Bijsnijden**, **Instellen als** en **Gegevens**. Hebt u de optie **Locatie opslaan** ingeschakeld, dan ziet u hier ook de optie **Weergeven op kaart** of **Routebeschrijving ophalen** en ziet u bij **Gegevens** informatie over de locatie. Als deze knop ontbreekt, gebruik dan de knop **Menu** van uw tablet.

Het menu voor uw foto's in het album Camera.

Wilt u direct naar een bepaalde foto springen, tik dan op die foto in de filmstrip onderaan. Zijn er meer foto's dan in de strip passen, veeg dan over de strip om de rest te zien. Tik op de knop **Vorige** om terug te keren naar de camera.

Video opnemen

Wilt u een video-opname maken? Schakel dan over naar de videomodus. De knop staat nu boven de videocamera en de sluiterknop verandert in een rode opname-knop.

Tijdens het opne-men verandert de opnameknop in een pauzeknop. De tijd loopt mee in beeld.

Video opnemen is al net zo eenvoudig als een foto maken. Tik op de opnameknop en begin te filmen. In beeld ziet u de tijd dat de opname duurt meelopen en u ziet hoeveel opslagruimte er nog beschikbaar is. De opnameknop fungeert nu als pauze-knop waarmee u de opname pauzeert. Wilt u de opname stoppen, tik dan op de knop eronder. Tijdens het filmen kunt u meestal ook zoomen en scherpstellen – net als bij fotograferen – hoewel dat niet voor alle modellen geldt.

Effect toevoegen   Wilt u een effect gebruiken? Stel het dan in vóór de opname, want tijdens de opname hebt u geen toegang tot de instellingen. Stop de opname om het effect weer uit te schakelen.

Hebt u de opname af en wilt u deze bekijken of delen? Tik dan op het miniatuurtje rechtsonder. Tik op de video die u wilt bekijken. Tik op het scherm als u de actie-balk en andere bedieningselementen nodig hebt. In de actiebalk staan de ver-trouwde knoppen. Dit komt u vast vertrouwd voor, het werkt precies hetzelfde als bij foto's. U start het afspelen met een tik op de afspeelknop. Tijdens het afspelen tikt u op het scherm om de bedieningsknoppen tevoorschijn te roepen.

- In de actiebalk ziet u de knoppen **Schermafbeelding** en **Afspelen op een DNLA-apparaat**, zoals een geschikte televisie.

Een video afspelen met de bedienings-elementen in beeld.

■ Bovenaan ziet u de knop **Volledig scherm**, daarmee regelt u of de video al dan niet beeldvullend wordt weergegeven, de schuifregelaar voor het volume met links de knop **Geluid dempen** en rechts de knop **Geluidseffecten**.

■ Onderaan staat de voortgangsbalk met de tijdsaanduiding voor de verstreken tijd links en de totale duur van de video rechts.

■ Helemaal onderaan staan de knoppen **Vorig hoofdstuk**, **Afspelen-pauze-ren** en **Volgend hoofdstuk**. Houd uw vinger op de knop **Vorig hoofdstuk** of **Volgend hoofdstuk** als u wilt terugspoelen of vooruit spoelen.

 Net even anders Op de Note 8.0 en de Tab 3 staan niet alle knoppen op dezelfde plaats, zo staat de knop **Volledig scherm** linksonder en deze knop heeft ook een ander uiterlijk.

 Video liggend opnemen Hoewel de videospeler op uw tablet er geen proble-men mee heeft, is het is wel zo handig om tijdens een video-opname uw tablet lig-gend vast te houden. Dat levert een groter beeld op en het kijkt een stuk prettiger op een televisiescherm of een computerscherm. De meeste televisies en program-ma's tonen videobeelden namelijk altijd liggend.

Staande videobeel-den liggen dwars...

Galerij

Het programma Galerij gebruikt u voor het bekijken, bewerken en beheren van foto's en video's op uw tablet. Eigenlijk kent u Galerij al, want daarin hebt u de foto's en video's bekeken die u met Camera hebt gemaakt. U kreeg dan alleen het album Camera te zien. Galerij werkt niet alleen met zelfgemaakte foto's en video's, maar ook met foto's, film, video en podcasts uit andere bronnen.

De albums in Galerij. Tik op de knop Sortering (de knop direct naast het programmapictogram) en u ziet de andere sorteringen.

Op de actiebalk ziet u vier knoppen, van links naar rechts:

- **Sortering** Op uw tablet zijn uw foto's en video's op verschillende manieren gesorteerd, in albums, op tijd van opname, op locatie, op mensen en de door u als favoriet gemarkeerde opnamen. Met deze knop selecteert u welke sortering wordt weergegeven: Albums, Tijd, Locaties, Persoon, Groep, Favorieten.

- **Camera** Met deze knop schakelt u over naar de app Camera.

- **Weergave** Hiermee selecteert u een van de drie weergaven: tijdlijn, spiraalweergave en rasterweergave.

- **Menu** Hiermee opent u het menu. Hier hebt u de opties **Diashow**, **Nieuw album**, **Weergave**, **Album selecteren**, **Zoeken naar apparaten in de buurt** en **Instellingen**.

Opslag

Android slaat uw foto's en films op in verschillende mappen. Deze mappen vindt u in Galerij terug als albums. Alle foto's en video's die u met uw tablet hebt gemaakt, staan in het album Camera. De films die u met Video-editor maakt, worden opgeslagen in het album Video Editor. In het album Screenshots staan de schermfoto's die u met uw tablet maakt. Ontvangt u foto's als bijlage met een e-mail of kopieert u afbeeldingen van een webpagina? Die staan in het album Download. Hebt u foto's van uw computer of een digitale camera op uw tablet geïmporteerd, dan staan die in aparte albums.

Bekijken

Tik op een album of een andere sortering om het te openen. U ziet de inhoud als miniatuurtjes. Passen niet alle miniatuurtjes op het scherm, veeg dan over het scherm om door het album te bladeren.

Tik op een album en u ziet een overzicht van de inhoud. Houd uw vinger op een foto om deze te selecteren.

In de actiebalk ziet u links de knop **Omhoog** waarmee u terugkeert naar het vorige niveau. Rechts staan de knoppen **Camera** en **Diashow**. Tikt u hierop, dan hebt u twee knoppen: **Diashow starten** en **Instellingen diashow**. Bij de instellingen bepaalt u de snelheid, de overgangen tussen de foto's en kunt u muziek toevoegen. Zijn de instellingen naar wens, tik dan op **Diashow starten** om het resultaat te bekijken. U onderbreekt de diashow met een tik op het scherm.

De knop **Menu** heeft alleen de optie **Item selecteren**. Tikt u hierop, dan krijgen de foto's een selectievakje. Tik op de foto's die u wilt selecteren. De knop **Sortering** toont het aantal geselecteerde foto's. Tikt u hierop, dan verschijnen de opties **Alles selecteren** en **Alles deselecteren**. De geselecteerde foto's kunt u delen of verwijderen. Tik op de knop **Gereed** als u klaar bent.

Snel selecteren   Houd uw vinger op een foto totdat de selectievakjes verschijnen. De foto is meteen geselecteerd. Dit werkt ook voor albums of andere items die u wilt selecteren. In het selectiescherm selecteert u de gewenste items en voert u een van de beschikbare acties – zoals delen of verwijderen – uit.

Bewerken

Tik op een foto als u deze wilt bekijken of bewerken. U kunt in Galerij ook foto's bewerken. Open een foto en tik op de knop **Menu**. U ziet nu een aantal bewerkingen, zoals linksom draaien, rechtsomdraaien en bijsnijden.

Met bijsnijden past u de uitsnede van de foto aan, zodat storende elementen aan de rand verdwijnen of het onderwerp van de foto beter uitkomt. Tikt u op **Bijsnijden**, dan verschijnt een blauw kader op de foto. Versleep het kader naar de gewenste positie en pas de grootte aan met de sleepgrepen. Is de uitsnede naar uw zin, tik dan op de knop **Gereed**. De bijgesneden foto wordt opgeslagen in hetzelfde album als het origineel.

Is de uitsnede toch niet helemaal wat u ervan wilde? In Galerij kunt u dat eenvoudig verhelpen met de functie Bijsnijden.

Tikt u in het menu op **Bewerken**, dan kunt u kiezen of u de foto wilt bewerken met de app Foto-editor of Paper Artist. De app Paper Artist maakt een tekening of schilderij van uw foto. Een leuke app waarmee u heerlijk kunt experimenteren. Paper Artist behoeft verder weinig uitleg en blijft daarom verder onbesproken.

Paper Artist maakt een schets of schilderij van uw foto.

Niet aanwezig?   Als een of beide apps niet op uw tablet staan, is dat geen probleem. Als u op de app van uw keuze tikt, kunt u deze meteen downloaden en installeren.

Foto-editor

Het maakt overigens niet uit of u de app Foto-editor start vanuit Galerij of vanaf het startscherm. Start u Foto-editor vanuit Galerij, dan is de foto die u wilt bewerken meteen geladen. Anders opent u een foto vanuit het menu of gebruikt u de camera om een foto te maken.

Foto-editor biedt meer gereedschap om foto's te bewerken.

De actiebalk toont nu rechts drie knoppen: **Ongedaan maken**, **Herhalen** en **Opslaan**. Links en rechts ziet u knoppen waarmee u de foto kunt bewerken. Elke knop heeft verschillende mogelijkheden. Links ziet u de selectiegereedschappen, rechts de bewerkingen.

Als u een gedeelte van de foto wilt bewerken, selecteer dan dat gedeelte met de selectiegereedschappen. Tik op de knop **Selectie**. U krijgt de eerste keer een aanwijzing, tik op **OK** om de melding te sluiten. Maak de selectie met de selectiegereedschappen en tik op de knop **Gereed**. Kies dan de bewerking voor de selectie.

Wilt u een bewerking op de hele foto toepassen, dan hoeft u – uiteraard – geen selectie te maken. Bent u klaar met het bewerken van de foto en wilt u het resultaat opslaan, tik dan op de knop **Opslaan**. Het resultaat wordt opgeslagen in een eigen album.

Selectie-gereedschap

U hebt de volgende selectiegereedschappen tot uw beschikking:

■ **Selectiemodus**   U kunt op vijf verschillende manieren een selectie maken:

   ■ **Magnetisch** Selecteert automatisch aangrenzende onderdelen met dezelfde kleur. Stel de nauwkeurigheid in met de knop **Grootte selectie**.

Gebruik uw vinger om selecties te maken.

■ Lasso   Teken een omtrek en alles binnen de omtrek is geselecteerd.

■ Kwast   Hiermee schildert u (met uw vinger) het gebied dat u wilt selecteren. Stel met de knop **Grootte selectie** in hoe groot het gebied is dat u in een keer selecteert.

■ Rond   Maakt een ronde of ovale selectie, sleep uw vinger over het te selecteren gebied totdat de selectie de juiste vorm heeft.

■ Vierkant   Maakt een vierkante of rechthoekige selectie, sleep uw vinger over het te selecteren gebied totdat de selectie de juiste vorm heeft.

■ Nieuwe selectie   Maakt een nieuwe selectie en verwijdert al bestaande selecties.

■ Selectie uitbreiden   Voegt de nieuwe selectie toe aan de al bestaande selectie.

■ Selectie verkleinen   Trekt de nieuwe selectie af van de al bestaand selectie.

■ Grootte selectie   Hiermee stelt u het bereik van de selectie in. Dit werkt alleen bij de modus **Magnetisch** en **Kwast**.

■ Selectie omkeren   Hiermee selecteert u alles behalve de oorspronkelijke selectie.

In Foto-editor kunt u de volgende bewerkingen loslaten op uw foto's: **Bewerkingen**

■ Draaien   U kunt met **Draaien** een foto roteren (linksom, rechtsom) of spiegelen (horizontaal of verticaal).

■ Formaat wijzigen   Deze bewerking past de afmetingen aan van de foto, u kunt hiervoor een percentage kiezen.

Een selectie
bewerken.

■ **Bijsnijden** Met **Bijsnijden** past u de uitsnede van de foto aan, dit gaat op dezelfde wijze als in Galerij.

■ **Kleur** Deze bewerking geeft u controle over de kleur en het contrast van de foto. U hebt de volgende gereedschappen: **Automatische correctie, Belichting, Intensiteit, Contrast, Helderheid, Tint, Grijstinten** en **Temperatuur**. Met **Temperatuur** past u de warmte van de kleuren aan. Daarmee maakt u van een koele morgen een warme middag.

Pas de kleurtemperatuur aan en de foto krijgt een heel andere uitstraling.

■ **Effect** Foto-editor heeft verschillende effecten aan boord, namelijk **Vervagen, Beweging, Vervorming, Filter** en **Kaders**. En elk effect heeft weer verschillende instellingen. Leuk om eens mee te spelen.

Bij de meeste effecten kunt u ook de instellingen nog aanpassen, zoals hier de straal van de cirkel en de mate van draaiing.

■ **Hulpmiddelen** Hier treft u drie hulpjes aan, namelijk Kopiëren naar andere afbeelding, Kopiëren naar oorspronkelijke afbeelding en Retoucheren. Hebt u een selectie gemaakt, dan kunt u deze in een andere foto opslaan, op een andere plaats in de huidige foto kopiëren of u kunt de foto retoucheren. Selecteer datgene dat u wilt verwijderen en tik op **Hulpmiddelen, Retoucheren**.

U kunt naar hartelust spelen met de mogelijkheden. Er kan weinig misgaan, want het origineel blijft gewoon op uw tablet staan. Experimenteer met de verschillende effecten en correcties. Staat het resultaat u aan? Sla de foto dan op met de knop **Opslaan**. De foto wordt opgeslagen in het album Photoeditor. Stapelt u effect op effect en wilt u een of meer stappen terug? Gebruik dan de knop **Ongedaan maken**. U kunt alle stappen ongedaan maken. Kleurt de knop grijs, dan bent u terug bij af. Met de knop **Herhaal** voert u de vorige handeling opnieuw uit.

Videospeler

U had al ontdekt dat u uw video-opnamen in Galerij kon bekijken. Dus waarom is er dan nog een aparte app Videospeler? Logische vraag! Het antwoord ligt voor de hand, net zoals Camera stiekem Galerij opent als u een foto bekijkt, zo opent Galerij stilletjes Videospeler als u een video wilt bekijken. De bediening is helemaal gelijk. U bepaalt dus of u zelf de app Videospeler start of dat doet vanuit Galerij. Daarmee bekijkt u niet alleen uw eigen opnamen, maar ook andere films. Wilt u de video bewerken, dan doet u dat vanuit het menu. Gebruik de optie **Bijsnijden** als u de clip wilt inkorten. Tik op **Video-editor** om de clip te openen in de app Video-editor. Ook hier geldt, als de app nog niet op uw tablet staat, dan kunt u deze meteen downloaden en installeren.

Video afspelen in Galerij, of is het Videospeler?

Video-editor

Maak wat leuks van uw video-opnamen met Video-editor. Plak verschillende clips aan elkaar, zet er een overgang tussen en kort ze in. Voeg een titel toe en zet er een toepasselijk muziekje onder. Met Video-editor is dat prima te doen op uw tablet.

Bewerk uw video-clips, voeg een titel en muziek toe en sla het geheel op als een nieuwe film.

203

Het is niet moeilijk. U start Video-editor en kiest een thema – of kies het thema **Geen**.

Links ziet u de effecten en tekst, in het midden het afspeelvenster en rechts staan de regelaars voor geluid, geluidseffecten en opname voor commentaar. Daaronder staat de tijdlijn, daarop plaatst u clips, titels en muziek. Hebt u Video-editor gestart terwijl u een video afspeelde? Dan is deze video al ingevoegd op de tijdlijn.

- In de actiebalk staan de knoppen **Ongedaan maken**, **Opnieuw**, **Ander thema**, **Automatisch bewerken** en **Menu**. De knop **Menu** biedt de opties **Opslaan**, **Exporteren** en **Delen**.

- Tik op de knop **Media toevoegen** op de tijdlijn en maak uw keuze uit **Video's**, **Afbeeldingen** en **Audio**. U ziet steeds wat er al op uw tablet beschikbaar is en bij Video's en Afbeeldingen hebt u de optie om een nieuwe opname te maken. Tik op de knop **Gereed** als u klaar bent met toevoegen. Video-editor voegt automatisch een overgang in tussen twee clips.

Media toevoegen?
Kies uit video,
foto's of muziek.

Tijdlijn　　Hebt u eenmaal iets op de tijdlijn staan, dan veegt u over de tijdlijn naar rechts om naar het begin van de tijdlijn te gaan en naar links om naar het einde te gaan.

De tijdlijn met ver-
schillende clips. Let
op de cursor met
de gele kop.

Zet de cursor (de stippellijn met de gele kop) op de positie waar u iets wilt doen.

▨ Als u iets wilt invoegen, tik dan op de gele kop. Deze verandert in een schaar. Tik op de schaar en de clip is in twee stukken geknipt. De overgang wordt automatisch ingevoegd.

▨ Een clip verwijderen van de tijdlijn is eenvoudig. Zet uw vinger op de clip, zodat de prullenbak verschijnt. Sleep de clip in de prullenmand.

▨ Tik op de knop **Media toevoegen** als u een clip wilt invoegen aan het eind van de clip met de cursor.

▨ Achter elke clip staat een overgang. Houd uw vinger op de overgang en u ziet verschillende overgangen. Tik op de gewenste overgang.

Clip verwijderen?
Sleep maar in de
prullenbak!

Verplaatsen Wilt u een clip of foto verplaatsen, houd dan uw vinger op de clip en versleep de clip naar de nieuwe locatie. Dat is altijd aan het begin of einde van een andere clip. U kunt geen clips over elkaar heen zetten of een clip in een andere clip invoegen, tenzij u de clip op die plaats knipt.

▨ Een titel invoegen doet u zo: zet de cursor op de clip waar de tekst moet komen. Tik op **Tekst** links van het afspeelvenster. Tik op een van de beschikbare soorten tekst. Tik in het vak en typ uw titel, sluit af met de Enter-toets. De titel is zichtbaar gedurende de hele clip.

▨ Een effect past u altijd toe op een hele clip. Zet de cursor in de clip waarop u het effect wilt toepassen. Tik dan op het gewenste effect en bekijk het resultaat in het afspeelvenster. Wilt u de video daarna afspelen, dan kost dat altijd even tijd, afhankelijk van de lengte van de clip.

▨ Als u geluidseffecten wilt toepassen, dan gebeurt dat altijd op de plaats van de cursor. Tikt u op **Geluidseffecten** (rechts van het afspeelvenster), dan ziet u drie categorieën. Tik op een categorie, daarmee opent u de lijst met geluidseffecten. U kunt elk geluidseffect beluisteren met de afspeelknop achter de naam. Sleep het geluidseffect van uw keuze naar de tijdlijn om het toe te voegen.

Titel invoegen.

Overgang aanpassen of misschien nog een effect toepassen?

Renderen U hebt het vast al gemerkt, als u een overgang of effect toepast, duurt het even voordat u uw tablet daarmee klaar is. De video moet namelijk beeld voor beeld berekenen wat het resulterende beeld is. Deze rekenpartij noemt men renderen. Slaat u de film op – exporteren – dan moet de film ook worden gerenderd. Afhankelijk van de lengte, de instellingen, het aantal toegepaste effecten en de rekenkracht van uw tablet kan het dus wel even duren voordat uw film klaar is.

Exporteren

Zo, uw eerste project is klaar. Speel de film af en bekijk het resultaat in het afspeelvenster. Tik op de knop **Menu** en u ziet drie opties: **Opslaan**, **Exporteren** en **Delen**. Met **Opslaan** slaat u het project op. Tik daarna op **Exporteren**. U krijgt nu een venster te zien waarin u de resolutie kunt kiezen. Voor een HD-tv gebruikt u natuurlijk de hoogst mogelijke resolutie, maar voor mobiel gebruik is een veel lagere resolutie voldoende.

Selecteer de gewenste instellingen, typ een naam voor de film en tik op de knop **OK**. Video-editor slaat de film op in het album Video Editor. Uw eerste film is klaar.

Aangepaste clips, overgangen, een titel en muziek. Nu het resultaat opslaan.

10

Media

De boog kan niet altijd gespannen zijn. Na de foto's en video's in het vorige hoofdstuk is het nu tijd voor muziek. Verder wat 'retail therapy' in de online winkels van Google en Samsung en ontdek dat niet alles geld kost. Uw tablet is prima inzetbaar als media-speler, tijdens het werk of in uw vrije tijd. En ontdek YouTube op uw tablet. Met de app YouTube krijgt u toegang tot het grootste videoportal op internet met een enorme hoe-veelheid filmpjes. Wedden dat er ook voor u iets leuks bij zit?

Media importeren

Uw tablet is prima in staat allerlei mediabestanden af te spelen. Mediabestanden zijn bijvoorbeeld podcasts, uw digitale muziekverzameling, digitale foto's en videobestanden. U hebt vast de nodige mediabestanden op uw computer staan, maar daar hebt u niet zo veel aan als u ze op uw tablet wilt gebruiken. Wilt u uw mediabestanden op uw tablet importeren, dan hebt u daarvoor verschillende mogelijkheden.

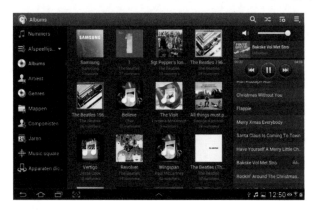

Muziek beluisteren met uw tablet.

Bonus   In het bonushoofdstuk *Tools en tips* ontdekt u nog een manier om uw mediabestanden van uw computer op uw tablet te kunnen afspelen. Het bonushoofdstuk staat online op de site **www.vanduurenmedia.nl/support/downloads/** bij dit boek.

■ **USB-opslagmedium**   Hebt u mediabestanden opgeslagen op bijvoorbeeld een USB-stick en hebt u een USB-adapter voor uw tablet, dan kunt u deze bestanden op uw tablet bekijken en afspelen. De tablet ziet een USB-stick als extra opslag. Een USB-stick zult u niet als vast onderdeel van uw tablet gebruiken, omdat het ding uitsteekt en dat werkt niet prettig, maar voor het overzetten van foto's en andere bestanden waarmee Galerij overweg kan, is dit een prima oplossing. Galerij toont de relevante inhoud in een eigen album. Tik op de knop **Menu** en tik dan op **Offline beschikbaar maken** om de foto's op uw tablet op te slaan.

Bestandsbeheer   Met Mijn bestanden kopieert, verplaatst en verwijdert u bestanden op uw tablet. Gebruik deze app om uw mediabestanden van een USB-stick of een externe SD-kaart op uw tablet te zetten.

■ **MicroSD-kaart**   Alle mediabestanden zijn direct beschikbaar. Niet zo verwonderlijk, want uw tablet ziet de microSD-kaart als deel van het geheugen. U kunt de gewenste bestanden met de computer direct op de microSD-kaart zetten. Plaatst u daarna de kaart in de tablet, dan zijn alle bestanden meteen beschikbaar. Uiteraard zijn deze bestanden niet meer beschikbaar als u de microSD-kaart verwijdert, tenzij u ze op de tablet opslaat met de app Mijn bestanden.

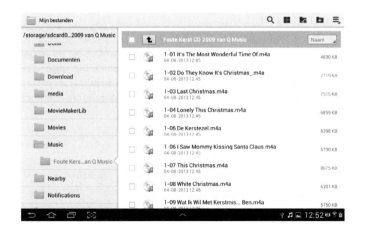

Mijn bestanden is een praktische app voor bestands-beheer.

■ **Online opslag** Dropbox is een goed voorbeeld van online opslag. Alles wat u hebt opgeslagen in Dropbox is beschikbaar op de apparaten waarop bent aangemeld met hetzelfde account. Dus als u muziekbestanden uploadt naar Dropbox, dan kunt u ze op uw tablet downloaden en opslaan op uw tablet. Dat geldt ook voor foto's. Bij Play Music van Google kunt u in een aantal landen – waaronder België – uw muziek online opslaan en dan afspelen op ieder apparaat waarop u met uw Google-account bent aangemeld. In Nederland bestaat die mogelijkheid voorlopig nog niet.

Streaming Als alternatief kunt u een app als Spotify gebruiken en mediabestanden streamen naar uw tablet. Het nadeel daarvan is dat deze bestanden dan niet op uw tablet staan en u dus niet altijd en overal uw bestanden kunt afspelen. Staan de mediabestanden op uw tablet, dan kunt u ze gebruiken waar en wanneer u maar wilt, ook als u geen internetverbinding of een draadloos netwerk tot uw beschikking hebt, zoals tijdens een trans-Atlantische vlucht.

■ **USB-verbinding** Mediabestanden uitwisselen tussen uw computer en uw tablet met een meegeleverde USB-kabel is ook goed mogelijk. Meestal zal uw computer de tablet herkennen. Herkent Windows uw tablet niet of niet goed?

Windows ziet uw tablet als een extern opslagsta-tion. Hier ziet u de verschillende map-pen op uw tablet.

209

Installeer dan het programma **Kies** van Samsung op uw computer. Dit programma is er zowel voor Windows als voor de Mac. U kunt dit programma downloaden op de site **www.samsung.com/nl/support/** onder **Nuttige software zoeken**. Dit programma installeert automatisch de benodigde driver. Sluit de tablet aan en open de Verkenner; uw tablet is zichtbaar als extern station. Sleep de mappen en bestanden van uw computer naar uw tablet en vice versa.

Kies   Kies is een hulpprogramma waarmee u uw tablet kunt synchroniseren met uw computer. In de praktijk is dat echter zelden nodig. Hebt u uw Google-account ingesteld op zowel uw tablet als computer (of andere apparaten), dan worden uw contactpersonen, afspraken en meer automatisch gesynchroniseerd. Bovendien is een back-up van uw tablet bij uw Google-account opgeslagen. En hebt u Dropbox geïnstalleerd, dan krijgt u uw foto's, documenten en wat u verder maar in Dropbox stopt, automatisch binnen op de computer en andere apparaten. Kies hebt u alleen nodig als er iets misgaat met de update van het besturingssysteem Android.

Tips voor goed bestandsbeheer:

- Uw tablet werkt niet met bestanden groter dan 4 GB.

- Organiseer uw mediabestanden in mappen om het een beetje overzichtelijk te houden.

- Uw tablet vindt de mediabestanden ook als ze niet in de gebruikelijke mappen zijn opgeslagen, hoewel muziek in de map Ringtones niet wordt gevonden.

- Hebt u afspeellijsten op uw computer opgeslagen, sla ze dan op in een submap van de map Music.

- Hebt u de covers van uw muziekalbums opgeslagen in de bestandsindeling JPEG? Geef de cover dan de naam *albumart.jpg* en sla de cover op in dezelfde map als de muziekbestanden van het album.

Play Music

De Play Store staat vol met apps voor het afspelen van muziek, maar de standaardapp van Google is Play Music. Samsung heeft ook de app MP3-speler toegevoegd. Eerst dus de standaardapp voor het beluisteren van muziek en audiopodcasts, Play Music. Bij elke start doorzoekt Play Music uw tablet op nieuwe muziek en afspeellijsten, niet alleen het interne geheugen, maar ook eventueel aanwezige microSD-kaarten en USB-opslagmedia. Dit kan even duren, afhankelijk van de hoeveelheid nieuwe mediabestanden u hebt toegevoegd sinds de vorige keer.

Rechts in de actiebalk van Play Music staat de knop **Zoeken**, hiermee zoekt u comfortabel in uw muziekbibliotheek. Zoals u ondertussen gewend bent, verschijnen de eerste resultaten al zodra u een paar letters hebt getypt.

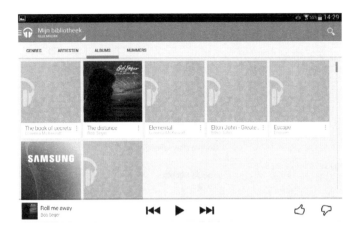

Bekijk de inhoud van uw tablet op nummer, album, artiest en genre.

Tikt u op de menuknop, dan ziet u de opties **Instellingen** en **Help**. De optie **Instellingen** toont het gekoppelde Google-account en geeft u toegang tot de equalizer. Verder ziet u hier informatie over licenties. De optie **Help** is niet erg behulpzaam, die verwijst naar een webpagina die niet beschikbaar is.

Elk album, nummer of artiest is voorzien van een menuknop. Tikt u daarop, dan ziet u de beschikbare opties, zoals **Toevoegen aan wachtrij**, **Op apparaat bewaren**, **Toevoegen aan afspeellijst** en **Ga naar artiest**. De optie **Op apparaat bewaren** werkt alleen als u uw muziekbibliotheek online hebt opgeslagen. Die mogelijkheid is in Nederland nog niet ingevoerd, maar in België wel.

Wilt u de opties voor een nummer, album of artiest zien, tik dan op de menuknop achter de titel.

Automatisch starten　Waarom mag Joost weten, maar de laatste versie van Play Music start zichzelf ongevraagd op en wordt regelmatig actief. Sluit u de app, dan blijkt deze even later toch weer gestart te zijn. Dit kan ten koste gaan van uw batterijlading. Gebruikt u de app niet en wilt u dit ongewenste gedrag tegengaan, open dan de app **Instellingen** en ga naar **Applicatiebeheer**. Applicatiebeheer verdeelt de apps in de groepen **Gedownload**, **Actief** en **Alles**. Bovenaan staat welke groep u ziet. Veeg over de lijst naar links totdat u de groep **Alles** in beeld hebt. Veeg omlaag totdat u Google Play Music ziet. Tik op de vermelding en tik dan op **Updates verwijderen**. De app wordt teruggezet naar de fabrieksinstelling. Controleer dat u nog steeds de groep **Alles** in beeld hebt – veeg zo nodig opzij – en tik op Google Play Music. Tik nu op de knop **Uitzetten**. Wilt u de app gebruiken, dan tikt u hier op de knop **Aanzetten**. Probleem opgelost. De app is ook van het startscherm verdwenen en wordt ook niet meer vermeld in het scherm Apps. Dit kunstje werkt natuurlijk ook voor andere apps die u niet gebruikt.

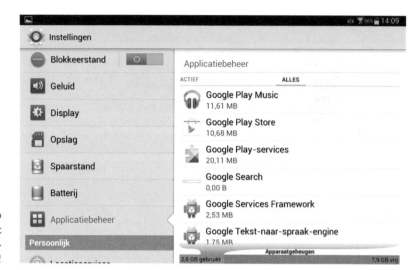

Een standaardapp verwijderen lukt niet, maar uitschakelen wel!

Uitgeschakelde apps staan onderaan de lijst. Wilt u de app toch weer gebruiken? Tik dan op de knop Aanzetten. Onderaan staan de machtigingen die de app gebruikt.

Weergaven

Tik op het pictogram van de app in de actiebalk, dan ziet u de opties **Nu luisteren**, **Mijn bibliotheek** en **Afspeellijsten**. Tik op **Mijn bibliotheek** en selecteer de gewenste weergave uit **Genres**, **Artiesten**, **Albums** en **Nummers**. U start het afspelen met een tik op het nummer, album of de artiest van uw keuze. Tik op de balk onderaan om het afspeelvenster te openen. Veeg omlaag om het afspeelvenster te verbergen.

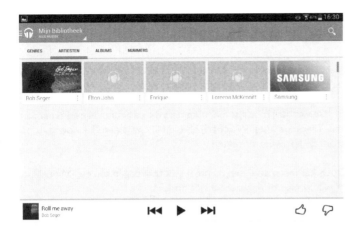

Mijn bibliotheek biedt u vier weer- gaven.

Snel schuiven Hebt u veel nummers in uw muziekbibliotheek? Dan is er een handig hulpje om snel door de lijst te bladeren. Rechts in beeld ziet u een oranje schuifknopje om een dunne lijn. Het knopje functioneert als een liftje. Zet uw vinger uiterst rechts op het scherm en het schuifje vliegt onder uw vinger. Schuif uw vinger op en neer en u vliegt met een sneltreinvaart door de lijst. Tik helemaal bovenaan op de lijn en u bent aan het begin van de lijst. Tik helemaal onderaan de lijn en u bent bij het eind van de lijst.

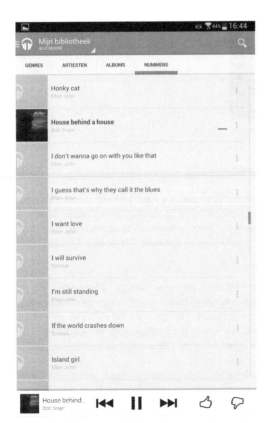

Uiterst rechts geeft het oranje schuifknopje aan waar in de lijst u bent. Met dit knopje schuift u razendsnel door de lijst.

Afspeelvenster

Een rondgang langs de verschillende elementen van het afspeelvenster. Bovenaan staat informatie over het nummer, rechtsboven staan twee knoppen:

- ■ Wachtrij   De wachtrij is de lijst met nummers die na het huidige nummer aan de beurt zijn. Tik op de knop **Wachtrij** als u de lijst wilt zien. Tik nogmaals op deze knop om de lijst weer te sluiten.

- ■ Menu   Open het menu als u een nummer wilt toevoegen aan een afspeellijst, de wachtrij wilt wissen of de wachtrij wilt opslaan.

Het afspeelvenster.

Onderaan staan de bedieningsknoppen:

- ■ Afspeelregelaar   Boven de knoppen staat de schuifbalk die aangeeft hoeveel van het nummer is afgespeeld. U ziet links de verstreken tijd en rechts de lengte van het nummer. Zet uw vinger op de afspeelknop en sleep de knop naar links of rechts om snel vooruit of achteruit te spoelen. Dit noemt men ook wel *scrubben*.

- ■ Herhalen   Met deze knop bedient u de herhaalfunctie. Tik eenmaal op de knop om de functie in te schakelen, het symbool wordt oranje en de afspeellijst of het album wordt eindeloos herhaald. Tik nogmaals op de knop en er verschijnt een 1 in het symbool. Nu wordt het huidige nummer eindeloos herhaald. Tikt u een derde keer op de knop, dan schakelt u de herhaalfunctie uit.

- ■ Shuffle   Deze knop schakelt de shufflefunctie in (symbool wordt oranje) of uit. Hiermee speelt u de nummers in willekeurige volgorde af – *shuffle* is Engels voor *schudden* (van kaarten).

■ **Vorig nummer**   Hiermee gaat u naar het vorige nummer of naar het begin van het huidige nummer.

■ **Afspelen-Pauze**   Met deze knop start of pauzeert u het afspelen.

■ **Volgende nummer**   Een tik op deze knop start het volgende nummer.

■ **Leuk**   Met deze knop geeft u aan dat u een nummer leuk vindt. Het nummer wordt meteen toegevoegd aan de afspeellijst Leuk.

■ **Niet leuk**   Met deze knop geeft u aan dat u een nummer niet leuk vindt. Staat het nummer in de afspeellijst Leuk, dan verdwijnt het daarna uit de lijst.

Volumeregeling   Het **volume** regelt u met de volumeknoppen van uw tablet. Play Music heeft daar geen mogelijkheden voor.

Als uw tablet vergrendeld is, gaat de weergave van muziek gewoon door.

Afspeellijst

Een afspeellijst is een door uzelf samengestelde lijst. U kunt nummers, albums, artiesten en genres aan een afspeellijst toekennen. Verreweg de eenvoudigste manier om een afspeellijst te maken is met de wachtrij. Zo doet u dat:

1. Tik in het afspeelvenster in de actiebalk op de knop **Menu**.

2. Tik op de optie **Wachtrij opslaan**.

3. Typ een naam voor uw afspeellijst en tik op de knop **OK**. De afspeellijst is nu gemaakt.

Toev. aan afspeellijst

Nieuwe afspeellijst

RECENT

Bob

ALLES

Bob

Annul.

Voeg een album of nummer toe aan een bestaande afspeellijst of maak een nieuwe afspeellijst.

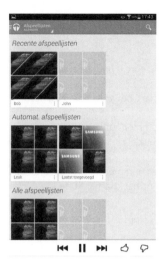

De afspeellijst Leuk wordt gemaakt zodra u de eerste keer op de knop Leuk tikt. Met de knop Niet leuk verwijdert u nummers uit deze afspeellijst.

De nieuwe afspeellijst is toegevoegd. U opent de weergave afspeellijsten met een tik op het pictogram van de app links in de actiebalk. Selecteer dan **Afspeellijsten**. U ziet de aanwezige afspeellijsten.

■ Tik op een afspeellijst om deze te openen.

■ Tik op een nummer in de afspeellijst als u het wilt afspelen.

■ Wilt u een nummer of album toevoegen aan een afspeellijst of een nieuwe afspeellijst maken? Tik dan op de menuknop van dat nummer of album en tik op de optie **Toevoegen aan afspeellijst**. Tik op de afspeellijst waaraan u het album of nummer wilt toevoegen. Tik op **Nieuwe afspeellijst** als u een nieuwe afspeellijst wilt maken.

Een nummer toevoegen aan een afspeellijst.

Sleep een nummer opzij om het uit de afspeellijst te verwijderen.

- U verwijdert een nummer uit de afspeellijst door het een flink eind opzij te slepen en dan los te laten. Het nummer blijft gewoon op uw tablet staan, het is alleen verwijderd uit de afspeellijst.

- Wilt u de hele afspeellijst verwijderen, tik dan rechtsonder op de menuknop van de afspeellijst en tik op **Verwijderen**. Ook nu blijft alle muziek gewoon op uw tablet staan.

MP3-speler

Uw tablet heeft nog een app voor het afspelen van muziek, MP3-speler. Deze app speelt meer dan alleen MP3-bestanden, maar ondersteunt niet alle muziekbestanden. Links ziet u de lijst met verschillende sorteringen van uw muziek. Daarnaast ziet u de aanwezige muziek in die sortering. In de actiebalk staan de knoppen **Zoeken**, **Shuffle**, **Afspeellijsten** en **Menu**. Tot zo ver geen verrassingen. In het menu ziet u de optie **Zoeken naar apparaten in de buurt**. Daarmee zoekt u naar

Het startscherm van de MP3-speler.

apparaten die DNLA ondersteunen, denk daarbij aan mediaspelers, televisies en dergelijke.

DNLA is een afkorting van *Digital Living Network Alliance*, een organisatie zonder winstoogmerk die richtlijnen opstelt voor het delen van digitale media tussen multimedia-apparatuur. De meeste moderne televisies ondersteunen DNLA, zodat u foto's, video's en muziek op uw tablet ook kunt bekijken en beluisteren op een tv, zonder speciale apparatuur of kabels. Tik op deze knop om te kijken of er geschikte apparatuur aanwezig is – die apparatuur moet dan wel aanstaan. In het afspeelvenster ziet u rechtsboven onder de actiebalk een knop waarmee u de muziek naar een geschikte tv stuurt. Het geluid op de tablet wordt dan uitgeschakeld. Ook Galerij en Videospeler hebben die mogelijkheid.

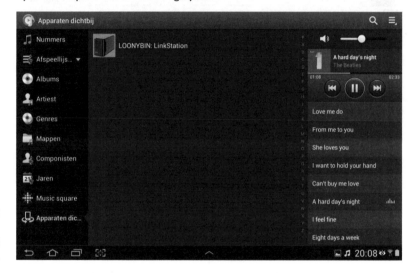

MP3-speler heeft een mediaspeler in het netwerk gevonden.

Selecteer een muzieksoort en bekijk de inhoud. Tik op het nummer dat u wilt horen. Rechts verschijnt een afspeelvenster. Tik op de cover boven de afspeelknoppen om het afspeelvenster te openen.

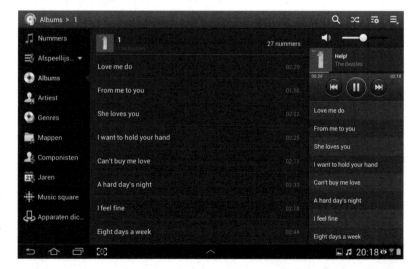

Als u op een nummer van een album tikt, wordt het afgespeeld. Rechts het afspeelvenster.

Het afspeelvenster heeft alle bedieningselementen die u nodig hebt. De bedieningselementen zullen u zeker bekend voorkomen, maar er zijn een paar nieuwe knoppen.

In de actiebalk staan nu de knoppen **Info**, **Afspeellijsten** en **Menu**. **Info** toont de
aanwezige informatie over het nummer dat wordt afgespeeld.

Het afspeelvenster.

In de balk daaronder ziet u links een ster, tik daarop als u het nummer wilt toevoegen aan de afspeellijst Favoriet. In het midden staat de volumeregelaar met links de
knop **Dempen** en rechts de knop **SoundAlive**, daarmee kiest u voorgeprogrammeerde instellingen voor bepaalde soorten muziek voor een optimaal resultaat.
Uiterst rechts staat de knop waarmee u het geluid naar de tv (of een ander geschikt
apparaat) kunt sturen, voor zover die aanwezig zijn.

Boven de cover ziet u de informatie van het nummer dat u hoort. Eronder staat de
voortgangsbalk met links de knop **Shuffle** en rechts de knop **Herhalen** en onderaan staan de gebruikelijke afspeelknoppen.

Tikt u op de knop **Afspeellijsten**, dan kunt u een nieuwe afspeellijst maken of een
bestaande afspeellijst aanpassen.

Afspeellijsten

■ Voor een nieuwe lijst typt u een naam. Tik links op de gewenste sortering, bijvoorbeeld albums of nummers. Tik op de items die u aan de afspeellijst wilt toevoegen. Tik op de knop **Gereed** als u klaar bent.

■ Wilt u een bestaande lijst aanpassen, tik dan op de naam van de lijst. U ziet nu
de inhoud van de lijst. In de actiebalk staan nu drie nieuwe knoppen: **Verwijderen**, **Volgorde wijzigen** en **Muziek toevoegen**. Gebruik deze knoppen om
de lijst aan te passen. Toevoegen werkt net zo als bij een nieuwe lijst. Ook verwijderen zal geen problemen opleveren. Wilt u de volgorde wijzigen, zet uw
vinger dan op de blauwe sleepgreep rechts en sleep het nummer naar de
nieuwe plaats. Bent u klaar, tik dan op de knop **Gereed**.

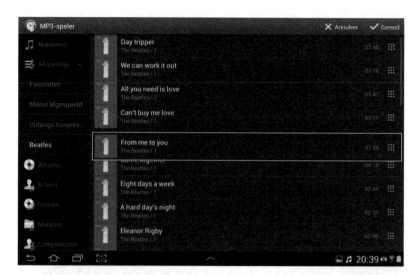

Een afspeellijst
aanpassen.

YouTube

YouTube geeft u toegang tot de grootste verzameling filmpjes op internet.
YouTube is de naam van de populaire videoportal. Hier vindt u talloze videofilmpjes
over vrijwel elk onderwerp. Het aanbod is groot en groeit met de minuut. Gebruikers van over de hele wereld zetten hun korte videofilmpjes op de site. Gegaran-
deerd kijkplezier!

Het startscherm
van YouTube.

Om hier prettig mee te werken, hebt u voor YouTube een – liefst snelle – internetverbinding nodig. De app YouTube is eenvoudig in de omgang. In de actiebalk staan
de knoppen **Bekijken op tv**, **Zoeken** en **Menu**. Ziet u de onderdelen **Account**,
Kanalen en **Van YouTube** niet? Veeg dan naar rechts.

■ Tik op **Account**. Daarmee opent u de plaats waar u uw eerder bekeken video's vindt en waar u uw filmpjes uploadt. In de actiebalk staat nu ook de knop **Uploaden**. Ook uw favorieten, afspeellijsten en de films die u later wilt bekijken staan hier. Tik op een categorie om de onderdelen te bekijken. Het YouTube-account is een vast onderdeel van uw Google-account.

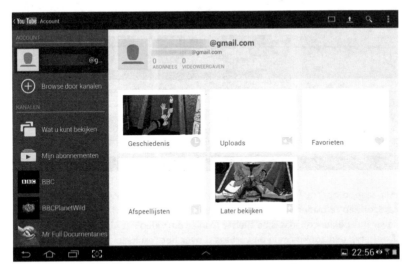

Dit is de plaats waar u uw filmpjes kunt uploaden en meer.

■ Bij **Kanalen** ziet u nieuws van uw abonnementen bij **Wat u kunt bekijken**. Daaronder staan de kanalen waarop u een abonnement hebt genomen. Ziet u een filmpje en u wilt wel meer werk van de maker zien? Dan abonneert u zich op het kanaal.

Als u zich abonneert op een kanaal, dan krijgt u automatisch de nieuwste toevoegingen te zien bij Kanalen.

■ Onder **Van YouTube** staan de categorieën met video's. Zo vindt u sneller iets dat uw interesse heeft. Tik op een categorie en rechts ziet u de bijbehorende filmpjes. Veeg over het scherm om meer filmpjes te zien.

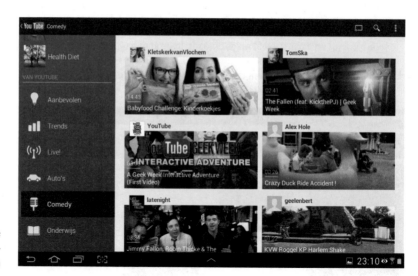

Van YouTube toont de beschikbare categorieën

Video's zoeken en vinden

Het aanbod op YouTube is zo enorm groot, dat het niet erg praktisch is door de categorieën te bladeren als u op zoek bent naar een bepaald onderwerp. Gebruik liever de zoekfunctie, dat is de snelste manier om video's te vinden. Tik op de knop **Zoek**, typ een zoekterm in en verbaas u over het resultaat.

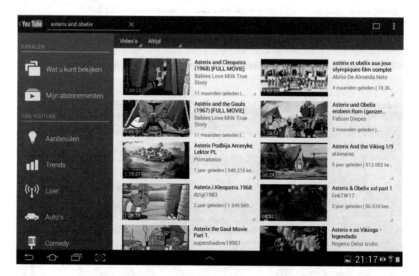

Het resultaat van een zoekactie.

Bent u niet op zoek naar een specifiek onderwerp en wilt u gewoon rondsnuffelen tussen al die filmpjes, kijk dan eens onder Van YouTube. Dit is een goed punt om te beginnen, dus tik op een categorie die u wel aanspreekt. Comedy is meestal wel goed voor een lach, van glimlach tot schateren.

Video's afspelen

Tik op een plaatje en de video met omschrijving verschijnt in beeld. De video start direct. Ziet u de bedieningsknoppen niet? Tik dan even op het filmpje en ze verschijnen. De bediening is wel heel eenvoudig. U ziet een afspeelregelaar, net als in Play

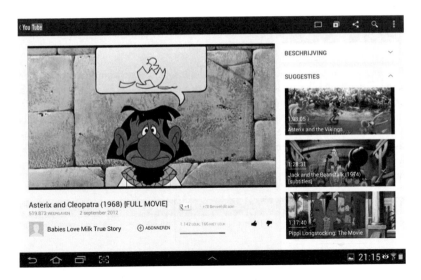

Tik op een filmpje om het af te spelen.

Music. De knop staat op de afspeelpositie. Zet uw vinger op de knop en versleep de knop als u naar een ander punt in het filmpje wilt gaan.

Links ziet u hoe lang de video al speelt en rechts de totale lengte van het filmpje. Midden op het scherm staat de pauzeknop. Tik erop om te pauzeren en tik nogmaals om het afspelen te hervatten. Naast de lengte van het filmpje staat een knop met vier pijlen. Tik daarop om het filmpje beeldvullend te bekijken. Tik nogmaals op deze knop om terug te keren naar het kleine afspeelvenster.

Beeldvullende HD-video in breed-beeld op uw tablet.

Onder het afspeelvenster voor het filmpje staat informatie over de maker. U ziet hier ook een knop **Abonneren** en de groenrode balk geeft aan hoeveel mensen dit leuk vinden (groen) en hoeveel niet (rood. U kunt ook uw waardering ervoor uitspreken met de knoppen **Leuk** en **Niet leuk**. Daarnaast (in de liggende stand, in de staande stand is dat eronder) staat de beschrijving (inklapbaar), suggesties met vergelijkbare video's en daaronder staan de opmerkingen van andere kijkers.

Play Store

Play Store is Googles winkel voor Android-apps. Sinds kort zijn ook e-boeken te koop in de Play Store. In de Play Store leest – of schrijft – u recensies over apps, schaft uw apps aan en installeert die meteen op uw tablet. In de Play Store vindt u niet alleen apps waarvoor u moet betalen, maar ook veel gratis apps. Wilt u iets aanschaffen in de Play Store, dan hebt u uw Google-account nodig en natuurlijk ook een internetverbinding. Voor gratis apps hebt u daaraan genoeg, maar koopt u betaalde apps, dan gaat dat via Google Wallet en daarvoor hebt u een creditcard nodig.

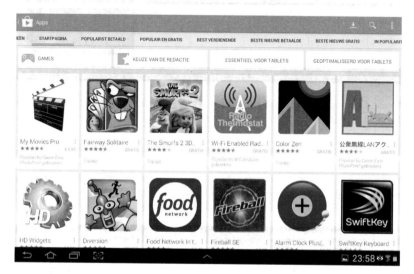

Mag het een beetje meer zijn? Er is een overvloed aan apps te koop en te geef.

Geen creditcard   Wanneer u in de Play Store een aankoop doet, hebt u een creditcard nodig. Hebt u geen creditcard of wilt u liever niet gebruikmaken van een creditcard? Overweeg dan om een prepaid creditcard aan te schaffen. Voor de betalingen online maakt het geen verschil of u een gewone creditcard of een pre-paid creditcard gebruikt. U kunt de prepaidcreditcard ook gewoon toevoegen aan Google Wallet. Bij een gewone creditcard betaalt u achteraf en u betaalt rente over het uitstaande saldo. Bij een prepaid creditcard zet u vooraf een bepaald bedrag op uw kaart en u kunt betalen totdat het saldo op is. U kunt de kaart opladen als het saldo bijna op is. Aan het gebruik van een prepaid creditcard zijn wel kosten ver-bonden, maar u betaalt geen rente en u kunt niet rood staan. Dat wil zeggen dat er ook geen toetsing bij het BKR plaatsvindt. Er zijn ook wegwerp prepaid creditcards, het verschil is dat u deze niet kunt opladen. Hebt u het saldo verbruikt, dan gooit u de kaart weg. Dat maakt het ook een leuk cadeautje voor online shoppers. Onder-tussen zijn beide varianten prepaidcreditcards goed verkrijgbaar, onder andere bij supermarkten, boekenwinkels en meer. Kijk voor meer informatie op **www.pre-payshopping.com**.

€25

VISA
Internet Shopping
Cadeaukaart

Een populaire
prepaidcreditcard.

In de Play Store zijn de apps onderverdeeld in een aantal categorieën, zoals Games, Zakelijk, Widgets en Financiën. Bent u op zoek naar een bepaalde toepassing, zoals een app waarmee u notities kunt vastleggen, dan is dit een goed uitgangspunt voor uw zoektocht.

Apps vinden

Bezoekt u de Play Store met uw tablet, dan ziet u alleen de apps die geschikt zijn voor uw tablet. Bovendien worden uw aankopen direct geïnstalleerd. Zit u achter de computer, dan worden uw aankopen direct naar uw tablet gepusht. De Play Store ziet er op de computer iets anders uit, maar – uiteraard – vindt u er wel dezelfde programma's en widgets voor uw tablet.

Bezoekt u de Play Store met uw computer, dan ziet u op de startpagina vijf apps naast elkaar in bepaalde categorieën, met bij elke categorie een knop **Meer weergeven**. Natuurlijk kunt u gewoon een zoekterm typen om een bepaalde app of een bepaald type app te vinden. Of snuffel lekker in de verschillende categorieën.

De Play Store op
de computer.

Alleen voor tablet Jammer genoeg kunt u niet instellen dat u alleen de apps ziet die geschikt zijn voor tablets. Daardoor gebeurt het regelmatig dat u een app aanschaft die geen gebruik maakt van de mogelijkheden van uw tablet.

Op uw tablet ziet het wat anders uit, maar u hebt dezelfde mogelijkheden. Veeg omhoog om meer items in de groep te zien en veeg horizontaal over het scherm om door de hiervoor genoemde groepen te bladeren.

Hebt u een app gevonden die u wel wat lijkt? Tik dan op de app om informatie erover te zien. De beschrijving is afkomstig van de ontwikkelaar, dus helemaal objectief is dat niet. Lees daarom ook een aantal van de reacties van de gebruikers. Niet dat die altijd objectief zijn, maar als een app een goede waardering heeft gekregen van veel recensenten (het aantal staat achter het aantal sterren) en de app heeft veel downloads (dat aantal staat links onder het programmalogo), dan zit het waarschijnlijk wel goed.

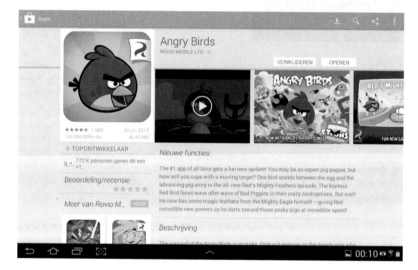

Het informatie-scherm van een app met links de waardering, het aantal recensenten en het aantal downloads.

Aanschaffen

Veel apps zijn gratis of kosten slechts een paar euro. Het is erg verleidelijk om een vracht apps aan te schaffen. Bent u niet binnen bereik van een Wi-Fi-netwerk, denk dan bij het downloaden aan uw datalimiet, of stel de aanschaf even uit totdat u achter de computer zit.

Verborgen kosten   Shoppen met de tablet is leuk, maar zorg dat u over een Wi-Fi-verbinding beschikt voordat u grote bestanden gaat downloaden. Niet alleen omdat het sneller is, maar downloaden via een mobiel datanetwerk kan duur uitpakken. Dat hangt natuurlijk ook af van de datalimiet die bij uw abonnement hoort. Gaat u over uw datalimiet, dan zijn daar kosten aan verbonden. Heeft uw abonnement geen datalimiet, bedenk dan dat onbeperkt downloaden niet altijd echt onbeperkt is. Meestal is er sprake van een *fair use policy*. Het loont de moeite even uit te zoeken wat uw provider *fair* vindt, dat varieert namelijk van 100 MB tot 2 GB per maand. De prijs voor data buiten een bundel loopt uiteen van een paar cent tot meer dan 1,50 euro per MB.

Tijdens de aanschaf krijgt u een scherm met machtigingen te zien. Lees dit goed door en zorg dat alles wordt weergegeven, zodat u precies weet wat de app allemaal mag (en kan). Bij de machtigingen staat een knop **Alles weergeven** en daarop moet u tikken om de rest te zien. Tik op de vishaak achter een machtiging om meer uitleg te

App-machtigingen

Smurfs' Village heeft toegang nodig tot:

Systeemhulpmiddelen
Voorkomen dat tablet in slaapstand gaat

Telefoonoproepen
Telef status en id lezen

Netwerkcommunicatie
Volledige internettoegang

Opslag
Inhoud van USB-opslag wijzigen of verwijderen

Hardware-instellingen
Audio-instellingen wijzigen

Verbergen

Netwerkcommunicatie
Factureringsservice van Google Play, Licentie van
Google Play controleren, Netwerkstatus weergeven,
Wi-Fi-status weergeven

Ontwikkelfuncties
Toegang tot beveiligde gegevensopslag testen

ACCEPTEREN

De machtigingen
voor de app
Smurfs' Village.

krijgen. Twijfelt u en zijn er maar een paar waarderingen en downloads? Dan is het
misschien beter om wat terughoudend te zijn. Het kan allemaal onschuldig zijn, maar
enige voorzichtigheid kan geen kwaad. Tikt u uiteindelijk op de knop **OK**, dan gaat u
akkoord met deze machtigingen en kunt u die achteraf niet intrekken.

Apps beheren

Staat er bij een app in de Play Store geen prijs of gratis, maar **Bijwerken** of een
groene knop met een vinkje? Dan is die app al in uw bezit en op uw tablet geïnstalleerd. Tikt u op zo'n app, dan ziet u de knoppen **Verwijderen** en **Openen**. U kunt
nu een beoordeling geven of een recensie schrijven.

In de actiebalk ziet u rechts drie knoppen: **Mijn apps**, **Zoeken** en **Menu**. Hoe de
zoekfunctie werkt, weet u ondertussen wel. Het menu heeft drie opties:
Accounts, **Instellingen** en **Help**.

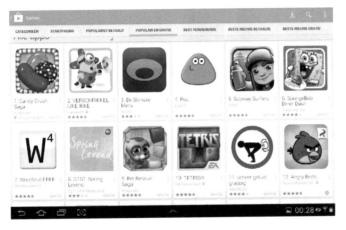

Staat er een vinkje
of Bijwerken? Die
apps staan al op
uw tablet.

Tikt u op de knop **Mijn apps**, dan ziet u de tabs **Geïnstalleerd** en **Alle**. Op het tabblad **Geïnstalleerd** ziet u de beschikbare updates voor uw apps en een lijst met geïnstalleerde apps. U kunt hier de machtigingen nakijken voor elke app en apps verwijderen. Zoals gebruikelijk tikt u op de knop **Omhoog** om terug te keren naar het startscherm van de Play Store.

Het tabblad Geïnstalleerd in Mijn apps. Hier verwijdert u ongewenste apps of installeert u updates.

U start de app met een tik op de knop **Openen**. Met een tik op de knop **Verwijderen** verdwijnt de app van uw tablet. Met het selectievakje schakelt u de optie **Automatisch bijwerken toestaan** in of uit.

Automatisch akkoord   Schakelt u deze optie in, dan gaat u automatisch akkoord met eventuele nieuwe machtigingen.

Het tabblad Alle toont al uw aankopen uit de Play Store.

Op het tabblad **Alle** ziet u niet alleen de geïnstalleerde apps, maar ook apps die u in het verleden hebt aangeschaft en later hebt verwijderd. U kunt de app altijd opnieuw installeren. Tik op de app en tik op de knop **Installeren**.

Samsung apps

Samsung heeft ook een online winkel waar u terecht kunt voor apps. Samsung apps biedt apps die speciaal bedoeld zijn voor Samsung apparatuur, zoals telefoons, tablets en smart-tv's. Voordat u de winkel kunt gebruiken, moet u akkoord gaan met de vrijwaring. Het werkt allemaal zo'n beetje hetzelfde als de Play Store. Er zijn verschillende categorieën, u kunt zoeken en de informatie van de verschillende apps bekijken. Ook hier zijn gratis apps en betaalde apps. Om een betaalde app aan te schaffen, moet u zich aanmelden met uw Samsung-account en daaraan moet u een creditcard koppelen.

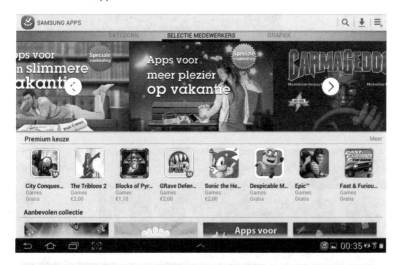

De online winkel Samsung apps.

Zonder Samsung-account valt er niets te kopen.

Hubs   Op uw tablet staan meer online winkels, zoals Game Hub. Daarin ziet u een aantal games die u kunt aanschaffen. Tikt u op een game of op de knop **Meer games**, dan komt u terecht bij Samsung apps.

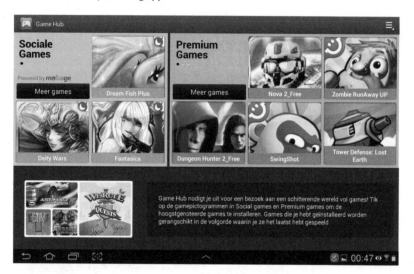

Game Hub is een
link naar Samsung
apps.

Wilt u muziek aanschaffen, dan kan dat bijvoorbeeld met Music Hub, dit is een online muziekwinkel waarvoor u eerst een account moet aanmaken – en natuurlijk moet daaraan een betaalmiddel worden gekoppeld, anders valt er weinig te kopen.

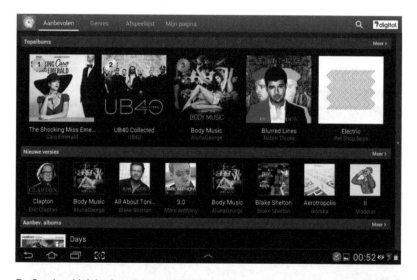

Music Hub is een
link naar de
muziekwinkel van
7 Digital.

De Readers Hub herbergt drie verschillende apps voor het lezen van respectievelijk tijdschriften, boeken en kranten en met bijbehorende winkel. Kijk rustig of u iets van uw gading kunt vinden. De krantenapp biedt tweeduizend kranten uit 95 landen en u mag deze app 24 uur gratis uitproberen. In de tijdschriftenapp kunt u in elk geval rustig even rondneuzen zonder account. Wilt u een tijdschrift kopen, dan zult

Readers Hub herbergt maar liefst drie apps en drie winkels.

u een account moeten maken. Voor de boekenapp hebt u weer een Samsung-account nodig om toegang te krijgen.

Zo, moe gewinkeld? Vergeet dan niet om het gratis bonushoofdstuk met tools en tips van de website van Van Duuren Media te downloaden. Daarin komen de hulpprogramma's die op uw tablet staan aan bod, samen met praktische tips voor uw Samsung Galaxy-tablet.

Index

⬢ Yindo **Tip:** doorzoek de elektronische versie van dit boek kosteloos op yin.do/6421c.